어항에 사는 소년

우리는 어항 속에서만 사는
물고기가 아니다.

오래전부터 '집'은 아이를 가장 든든하게 지켜 주는 울타리였습니다. 따뜻한 이불, 맛있는 밥, 깨끗한 옷, 무엇보다 '부모'가 있기에 아이는 집에서 늘 안전하고 행복하다고 느낍니다. 하지만 어떤 아이는 집보다 바깥이, 부모보다 낯선 사람이 안전하다고 생각합니다. 그런 아이는 누구일까요? 바로 '아동 학대 피해자'입니다. 아동 학대 가해자 중 80퍼센트가 부모이기 때문입니다.

《어항에 사는 소년》은 부모에게서 학대를 당한 세 명의 청소년을 비추고 있습니다. 복합적 학대에 시달리는 영유, 심리적 학대를 겪는 현재, 신체적 학대에서 벗어나려 가출한 배달형, 이 셋은 우연한 계기로 만나 서로의 상처에 공감하면서 묵묵하게 서로를 보듬어 줍니다.

아이들은 저마다의 목소리로 부모의 잘못을 비판하고 자립하려 하지만, 미성년자라는 이유로 어디에서든 목소리가 지워진 채 어른의 결정에 따라 움직이길 강요받습니다. 청소년이 어른의 소유가 아니라 온전한 삶의 주체임을 인정받고, 학대라는 굴레에서 벗어나 오롯이 '나'로서 살아가기를 바랍니다.

소원라이트나우 04 light now
바로 지금, 용기 내어 이야기하는 청소년들의 가려진 문제를 양지로 이끌어 냅니다.

소원라이트나우 04

어항에 사는 소년

초판 1쇄 발행 | 2019년 12월 25일 **초판 4쇄 발행** | 2022년 01월 25일

글 | 강리오 **표지 일러스트** | 고정순

펴낸이 | 이미순 **편집** | 전지애 **디자인** | 김성령 **펴낸곳** | 소원나무
주소 | 경기도 파주시 회동길 37-20, 202호
전화 | 031-812-2552 **팩스** | 070-7610-2367
카페 | https://cafe.naver.com/swnamu
블로그 | https://blog.naver.com/swnamupublishing
페이스북 | https://www.facebook.com/sowonnamu
인스타그램 | https://www.instagram.com/sowonnamu
등록 | 제 406-251002012000220호(2012.12.27)

ISBN 979-11-7044-015-4 44810
(세트) 979-11-86531-66-2 44800

이 도서의 국립중앙도서관 출판예정도서목록(CIP)은 서지정보유통지원시스템 홈페이지(http://seoji.nl.go.kr)와 국가자료공동목록시스템(https://www.nl.go.kr/kolisnet)에서 이용하실 수 있습니다. (CIP제어번호: CIP2019050490)

아침독서 추천도서 | KBBY 추천도서 | 책씨앗 추천도서 | 학교도서관사서협의회 추천도서

소원나무 WishTree는 한 권의 책 속에 우리의 꿈과 희망을 소중하게, 정성스럽게, 웅숭깊게 담아냅니다.

일러두기
※ 《어항에 사는 소년》은 강리오 작가의 장편소설입니다.
※ 《어항에 사는 소년》의 뒷부분에는 작가 메시지가 담겨 있습니다.

어항에 사는 소년
강리오 장편소설
소원나무
WishTree

차례

강리오

어려서부터 이야기를 짓고 만화를 그리며 홀로 상상의 나래를 펼쳤습니다. 대학교에서 언론홍보학과 문예창작을 복수 전공 했습니다. 지금은 글을 쓰고 아이들을 가르치며 재미난 이야기를 궁리합니다. 《어항에 사는 소년》이 첫 청소년 소설입니다.

그네

"너도 봤지? 이젠 못 참아."

나는 스핀에게 말했다. 사실 스핀이 볼 리가 없었다. 냉장고 옆 바닥에 있는 어항 속 물고기가 싱크대 창문 너머를 보지 못할 테니 말이다. 그래도 스핀에게 말하고 나면 왠지 모르게 용기가 났다.

나는 어항 뒤에 비스듬히 세워 둔 나무젓가락 새총을 꺼내 주머니에 넣었다. 화장실로 들어가 벽에 붙은 분리수거 통에서 빈 페트병을 꺼내 들었다. 밖에 있는 하마엉덩이의 목을 조르는 마음으로 페트병의 가운데 부분을 손가락으로 꾹꾹 눌렀다. 1.5리터짜리 둥그런 페트병이 납작해졌다. 화장실을 나와 왼편에 있는 현관문 앞에 섰다. 심호흡을 했다. 한쪽 바지 주머니에 손을 넣어 봤다.

아까 챙겨 두었던 새총이 만져졌다.

나는 떨리는 손으로 길쭉한 문손잡이를 잡았다.

현관문 앞에 서면 숨이 막히고 괜히 발바닥까지 시린 기분이었다. 예전에 밖으로 절대 나가지 말라는 엄마 말을 어겼다가 혼이 났기 때문이었다. 이사 온 지 일주일 만에 혼자 집 밖으로 나가서 그네를 타고 놀다가 엄마한테 들켰다. 그날 나는 팬티만 입고 맨발로 복도에 서서 밤새 문을 두들기며 잘못했다고 빌었다. 3년 전에 겪었던 일인데 아직까지 생생하게 떠오른다. 그 이후론 밖으로 나갈 생각을 하지 않았다. 짜장면 배달 형이 놀러 올 때 빼고는 문을 열 생각조차 안 했다.

하지만 이번엔 나가서 저 자식에게 본때를 보여 줘야 했다. 내 그네를 지키는 방법은 그것밖에 없었다. 나는 길쭉한 현관문 손잡이를 다시금 잡았다. 손에 땀이 배어 손잡이가 미끈거렸다. 복도에서 밤을 샌 다음 날부터 엄마가 주야장천 했던 말이 귓가에서 떠나지 않았다.

'혼자 있을 때 절대 집 밖으로 나가지 마.'

나는 손잡이를 잡은 채로 고개를 돌려 어항 속 스핀을 내려다봤다. 스핀이 지느러미를 휘저으며 어항 벽을 따라 한 바퀴 돌고 있었다. 나는 스핀에게 말했다.

"스핀, 갔다 올게. 잠깐이면 될 거야."

심장이 벌렁거렸다. 나는 두 손으로 손잡이를 감싸 쥐고 아래로 내렸다. 달가닥하며 문이 열리는 소리가 들렸다. 그대로 바깥으로 문을 천천히 밀었다. 한낮의 복도에 맴도는 공기는 우리 집 것보다 맑고 차가웠다.

나는 복도로 나와 가운데가 납작해진 페트병을 현관문 아래 구석까지 끼워 넣었다. 그런 다음 문을 두어 번 세게 움직였다. 문을 아무리 닫으려고 해도 닫히지 않았다. 이렇게 하면 집 비밀번호를 몰라도 나중에 집에 들어갈 수 있었다. 엄마는 집에서 나올 생각은 말라며 비밀번호도 알려 주지 않았다. 우리 집 문은 한번 닫히면 저절로 잠겨 버리기 때문에 이 방법밖에 없었다. 3년 전 그날도 비밀번호를 몰라서 문밖에 서 있다가 퇴근하고 돌아오는 엄마와 복도에서 마주쳤다.

나는 문이 고정된 걸 확인하고 돌아섰다. 노란빛이 도는 환한 복도가 낯설었다. 내가 집에서 나올 때라고는 한 달에 한두 번, 그것도 새벽이었다. 엄마와 함께 분리수거하러 나올 때뿐이니까.

빌라 입구를 향해 조심스레 걸어갔다. 발을 옮길 때마다 슬리퍼 끄는 소리가 복도에 울렸다. 나는 입구를 빠져나와 회색 콘크리트 보도블록에 섰다. 코가 뻥 뚫렸다. 팔다리에 닭살이 솟아나고 다리털이 곧추섰다. 주변을 둘러봤다. 거리엔 지나다니는 사람 하나 없었다.

나는 그네를 쳐다봤다. 하마엉덩이가 벌써 한 시간째 그네에 앉아 있었다. 회색 교복을 입고 있어서 뒷모습만 보면 영락없는 하마였다. 하마엉덩이가 뒤로 몸을 빼자 그네에 달린 쇠줄에서 끼이익, 하고 이상한 소리가 났다. 내 그네가 얼마나 하마엉덩이를 버거워하는지 멀리서도 느껴졌다.

나는 콘크리트 보도에서 놀이터까지 단숨에 달려갔다. 그러고는 그네 앞에 서자마자 하마엉덩이의 등을 확 밀어 버렸다. 하마엉덩이가 앞으로 고꾸라졌다.

"꺅!"

하마엉덩이가 비명을 지르며 모래 바닥으로 엎어졌다. 큰 덩치에 맞지 않게 목소리 톤이 높고 가늘었다. 하마엉덩이가 내 쪽으로 고개를 쳐들었다. 육중한 엉덩이에서 해방된 그네가 앞뒤로 흔들렸다. 하마엉덩이는 빳빳한 흰색 와이셔츠를 입고 있었다. 와이셔츠 깃이 찐빵 같은 얼굴에 살짝 눌렸다. 동그란 눈과 뭉툭한 코끝은 벌겠다. 하마엉덩이가 울고 있는 줄은 몰랐다. 나는 약간 죄책감이 들었지만 티 내지 않으려고 고개를 쳐들며 하마엉덩이를 내려다봤다. 하마엉덩이가 소시지 같은 입술을 움직였다.

"뭐야? 왜 밀어!"

나는 양손을 바지 주머니에 찔러 넣고 어깨를 폈다. 텔레비전에서 남자 주인공이 악당을 쳐다볼 때 이런 자세를 취하는 걸 봤다. 나는 남자 주인공처럼 턱을 삐뚜름하게 치켜들며 말했다.

"망가져."

"뭐?"

"너 때문에 그네 망가진다고!"

나 혼자 집에서 수백 번은 되뇌던 그 말을 드디어 하마엉덩이에게 하고 나니 속이 다 후련했다.

우리 집 바로 맞은편에 있는 이 놀이터에 사실 놀이 기구라곤 시소와 그네뿐이었다. '온 가족이 함께하는 놀이터'라는 팻말이 붙어 있긴 했지만 놀이 기구보다 운동기구가 더 많았다. 빨간색 그네 옆에 있는 파란색 그네는 이사 왔을 때부터 줄 하나가 끊어져 있었다. 빨간 그네마저 망가져 버리면 내가 탈 그네는 사라진다.

나는 한 달에 한두 번, 분리수거하는 날에만 그네를 탈 수 있었다. 그런데 한 달 전부터 회색 교복을 입은 하마엉덩이가 놀이터에 나타나더니 빨간 그네에 엉덩이를 걸쳤다. 30분은 기본이고, 어떤 때는 한 시간도 넘게 앉아 있었다. 나는 그네를 타고 싶어서 분리수거하는 날만 목 빠지게 기다리는데 난생처음 보는 하마엉덩이는 아무 때나 탔다. 심지어 하마엉덩이가 나타난 다음부터 그넷줄에서 뭔가 걸린 것처럼 뚝 하는 소리가 났다.

언젠가부터 나는 빨간 그네가 부서지는 꿈을 종종 꿨다. 오늘도 꿈에서 끊어진 그넷줄을 붙잡고 울다가 끼이익, 하는 소리에 깨어났다. 일어나서 싱크대 창문으로 가 보니 하마엉덩이가 또 그네에 걸터앉아 있었다. 배 속에서부터 뜨거운 것이 치솟았다.

하마엉덩이가 앙칼진 말투로 쏘아붙였다.

"네가 뭔데? 이 그네가 네 거야? 네 거냐고!"

나는 마른침을 삼켰다. 받아칠 말이 딱히 떠오르지 않았다. 하마엉덩이를 밀어뜨릴 계획만 세웠지 그다음은 생각하지 못했다. 이사 온 뒤로는 짜장면 배달 형 빼고 낯선 사람이랑 이렇게까지 오래 있어 본 적도 없었다. 하지만 무슨 말이든 해야 했다. 지금 단단히 경고를 주지 않으면 빨간 그네가 파란 그네처럼 될지도 몰랐다. 나는 눈에 힘을 주고 하마엉덩이를 쳐다봤다. 말투는 앙칼져도 하마엉덩이의 표정은 어리바리했다. 그걸 보니 자신감이 좀 솟았다.

“응. 내 거야. 그러니까 타지 마.”

“이게 어떻게 네 건데? 네가 만들기라도 했어?”

“누가 만들었는지 네가 봤어?”

“아, 아니.”

“근데 어떻게 알아? 너 여기 안 살지? 난 여기 살아. 내 거니까 나오라고.”

나는 그네를 탈 때마다 정성스럽게 쓰다듬고 때론 말도 걸었다. 설거지를 하다가 작은 창문을 통해 빨간 그네가 잘 있는지 확인하기도 했다. 하나밖에 남지 않은 낡은 그네에 관심을 갖는 사람은 나밖에 없었다. 그러니까 내 거라고 해도 될 것 같았다.

하마엉덩이는 한숨을 쉬더니 자리에서 일어났다. 몸에 묻은 모래를 털어 냈다. 그러고는 바닥에 내려놓았던 가방을 들고 혼잣말을 하며 걸음을 옮겼다.

“참나, 진짜 웃겨. 그네를 어떻게 자기가 만든대?”

하마엉덩이가 한 말이 거슬렸지만 나는 만족했다. 어쨌거나 목표를 이룬 셈이었다. 하마엉덩이는 그네 맞은편에 있는 나무 벤치에 가방을 집어 던졌다. 그러더니 벤치 깊숙이 엉덩이를 쑤셔 넣으면서 한 소리 더 했다.

"자기 거는 무슨. 완전 재수 없어. 재애수 없어."

하마엉덩이는 바닥에 침을 퉤 뱉었다. 내 쪽을 한 번도 쳐다보지 않았지만 누구에게 하는 말인지 알 것 같았다. 재수 없다는 말은 엄마가 입에 달고 사는 말이었다. 3년 전부터 걸핏하면 그런 식으로 말했다. 엄마 말대로 우리 집안 상황은 갈수록 나빠졌다. 그래서 나는 그 말을 진짜 싫어했다. 그런데 그냥 재수도 아니고 재애수라니. 그 말이 내 몸에 덕지덕지 들러붙는 기분이 들었다. 난생처음 보는 녀석한테 그런 얘기를 듣고 있자니 짜증이 났다. 이 그네의 주인이 나라는 것을 제대로 보여 주지 않으면 하마엉덩이에게서 들은 말을 떨쳐 낼 수 없을 것 같았다.

여기까지 온 이상 나는 마음을 더 크게 먹기로 했다. 정말 짜릿하지만 정말 위험천만한 그것을 하기로 결심했다. 나는 빨간 그네를 손바닥으로 쓸었다. 하마엉덩이의 온기가 느껴졌다. 기분이 더러워서 손바닥을 바지에 닦았다. 마음속으로 빨간 그네에게 미안해하며 그네에 올라탔다. 나는 허리에 반동을 줘서 그네를 움직였다. 단 다섯 번 만에 최고 높이까지 올라갔다. 위로 올라왔을 땐 하마엉덩이 얼굴도 보이지 않았다.

"……여섯, 일곱, 여덟, 아홉, 열!"

열 번째가 되었을 때, 나는 그넷줄을 놓고 새처럼 양팔을 쫙 벌렸다. 내 몸이 붕 떠올랐다. 발아래로 하마엉덩이와 모래밭이 보였다. 이대로 하늘을 날아 내 몸이 묶여 있는 빌라를 벗어나 파란 하늘 속에 잠기고 싶었다. 그렇다면 얼마나 좋을까. 아주 잠깐이라도 하늘에 떠 있는 기분은 언제 느껴도 좋았다.

나는 두 팔을 펼친 채 바닥에 무사히 착지했다. 슬리퍼를 신은 탓에 흙바닥 위로 조금 미끄러져 무릎과 발목에 묵직한 통증이 퍼졌다. 아픈 소리를 내지 않기 위해 나는 이를 꽉 깨물었다. 그래도 몸이 한결 가벼워졌다.

나는 고개를 들어 하마엉덩이 쪽을 흘긋 봤다. 하마엉덩이는 입을 조금 벌린 채 나를 바라보고 있었다. 저 자식이 나처럼 그네에서 날아오르려면 족히 1년은 걸릴 것이다. 나는 뒤돌아서 곧장 집 안으로 들어갔다. 현관문을 열고 들어올 때까지 단 한 번도 뒤를 돌아보지 않았다.

군만두

나는 누워서 천장을 바라봤다. 어제저녁부터 굶어서 힘이 없었다. 조금만 움직여도 기운이 빠져나갔다. 눌어붙은 벌레 자국들 사이로 새끼손톱보다 작은 나방이 이리저리 날아다녔다. 나방을 한참 쳐다보는데 현관문 두드리는 소리가 들렸다. 나는 겨우 몸을 일으켜 비틀거리며 현관으로 갔다. 현관문 앞에 서서 새끼손톱만 한 구멍에 한쪽 눈을 바싹 댔다. 익숙하고 반가운 상반신이 보였다. 배달 형이 천연덕스럽게 말했다.

"배달 왔다."

나는 재빨리 문을 열었다. 형이 철가방을 들고 안으로 들어왔다. 철가방의 얇은 문이 열리고, 그 안에서 배달 형이 단무지용 스티로폼 그릇에 깔끔히 포장된 군만두를 꺼냈다. 형이 랩을 벗기자마자 나는 손을 뻗어 군만두를 집어 들었다. 그러자 형이 나무랐다.

"젓가락으로 먹어. 머리는 또 왜 이래? 또 안 씻었지?"

형은 깔끔한 걸 좋아했다. 음식도 꼭 젓가락으로 먹으라 했고, 날 볼 때마다 씻으라고 잔소리했다. 나는 형 말을 잘 듣지는 않았다. 집에서 혼자 지내다 보면 씻는 걸 까먹었다. 형이 철가방 안쪽으로 팔을 집어넣어 나무젓가락을 빼냈다. 나무젓가락을 보니 어제 일이 떠올랐다.

"맞다. 형, 나 새총 잃어버렸어."

"이 집에서 뭘 잃어버린다는 게 말이 되냐? 제대로 찾아 봐."

"아니야. 진짜로 없어. 어제 나갔다가 잃어버렸어."

"어제 엄마랑 분리수거하러 나갔어?"

"아니, 혼자."

형이 고개를 들어 나를 쳐다봤다.

"진짜? 엄마한테 안 들켰고?"

"응."

완전범죄는 대성공이었다. 나는 집으로 들어오자마자 문에 끼웠던 페트병을 분리수거 통 깊숙이 쑤셔 넣었다. 슬리퍼도 안 신고 나갔던 것처럼 신발장에 올려놓았다.

집에 돌아온 엄마는 눈치채지 못했다. 나는 기분이 너무 좋아서 잠들 때까지 새총을 잃어버렸단 사실을 까먹었다. 오늘 아침, 엄마가 나간 다음 집 안을 샅샅이 뒤졌지만 없었다. 그네에서 날아오를 때 새총이 떨어진 모양이었다. 어쩐지 어제 집으로 돌아오는 발걸음이 너무 가볍다 했다.

"웬일이냐? 그렇게 나가라고 얘기할 땐 더럽게 안 듣더니."

배달 형이 내 머리를 헝클어뜨리며 웃었다. 예전부터 형은 나보고 혼자 좀 나가 보라고 재촉했다. 페트병 가운데를 눌러 문에 끼우면 문이 닫히지 않는다는 사실도 형이 알려 줬다. 형은 내가 나가도 세상이 무너지지 않는다고, 이 근처에는 돈이 될 만한 게 없어서 도둑도 들지 않고, 동네가 구석진 데 있어서 팔뚝 두꺼운 아저씨들도 안 온다고 재차 말했다. 정 아니면 형이랑 같이 요 앞에라도 나가 보자고 했다. 그때마다 나는 고개를 저었다.

엄마는 팔뚝 아저씨들에게 들키면 모든 게 끝나니까 어디서든 내 존재를 들키면 안 된다고 말했다. 그래서 나를 학교에 보내지도 않았다. 공공 기관에 등록되면 팔뚝 아저씨들이 찾아낼 수 있다고 했다. 팔뚝 아저씨들은 정말 엄청났다. 왜 팔뚝 아저씨냐 하면, 팔뚝이 너무 두꺼워서 내 허벅지만 했기 때문이다. 3년 전에 아저씨들을 처음 봤을 때도 팔뚝밖에 보이지 않았다. 4학년 2학기가 시작될 즈음이었다. 팔뚝 아저씨들이 자기들은 아빠 친구라면서 우리 집으로 들이닥쳤다. 아빠가 없었고 문을 열어 주지 않았는데도 그 아저씨들은 신통하게 문을 따고 들어왔다. 그러더니 팔뚝으로 텔레비전과 전자레인지부터 가뿐하게 부수었다. 아저씨들은 아빠가 오면 연락 달라면서 가 버렸다.

형이 주머니가 잔뜩 달린 조끼에서 나무젓가락을 꺼내며 물었다.

"나가서 뭐 했는데?"

"그네 탔어. 근데 누가 내 그네를 타고 있었어."

"네 그네? 아, 여기 앞에 빨간 그네?"

"응. 회색 교복을 입었는데 나랑 나이가 비슷한 것 같아."

"그럼 궁전 중학교겠다. 이 근방에서 걔네 교복만 회색이거든."

형은 허리에 찬 가방을 열어 새 고무줄을 꺼냈다. 형의 가방엔 언제나 고무줄이 한 다발씩 있었다. 형이 일하는 중국집에서 준다는데, 그 중국집은 돈을 잘 버는 모양이었다. 그렇지 않고서는 저렇게 많이 고무줄을 나눠 줄 리 없었다. 난 예전에 엄마한테 마트에서 고무줄을 사다 달라고 했다가 혼만 났다. 만약 내게 저런 고무줄이 열 개만 있다면 사는 게 훨씬 재미있을 것이다. 창문을 통해 새총으로 그네에 앉은 하마엉덩이를 쏘아 버렸을 수도 있다. 나는 하마엉덩이가 새총에 맞아 펄쩍펄쩍 뛰는 상상을 하며 말했다.

"걔가 내 그네를 타고 있었어. 너무 화가 났어. 그래서 밀어 버렸어."

"밀었다고?"

"엄청 뚱뚱했단 말이야. 그네가 망가지면 어떡해."

"그래서 어떻게 됐는데?"

"걔가 물러났어."

"난 또 싸운 줄 알았네. 다행이다. 걔가 착한 애네."

형은 나무젓가락 두 개를 엑스 자로 포개고 젓가락이 서로 만나는 지점에 고무줄을 칭칭 감았다. 나는 살짝 속이 상했다. 형이 칭찬한 건 내가 아니라 하마엉덩이였다. 배달 형은 내가 세상에서 제일 좋아하는 사람이었다. 나를 보러 와 주는 건 배달 형밖에 없었다. 형은 올 때마다 군만두도 가져다줬다. 그 덕분에 나는 엄마가 밥을 주지 않아도 버틸 수 있었다. 오늘처럼 말이다.

형이랑 단번에 친해지진 않았다. 배달 형의 첫인상이 좋지는 않았다. 나는 형이 팔뚝 아저씨들처럼 깡패인 줄 알았다.

처음 형을 만난 건 이사 온 날 저녁이었다. 그날 엄마는 먼지투성이인 집 안에 짐만 내려놓고는 나를 데리고 집에서 가장 가까운 중국집으로 들어갔다. 밤 10시가 넘어서인지 중국집에는 사람이 우리 말고 없었다. 엄마는 짜장면과 소주를 시키고 탁자에 엎드렸다. 잠시 뒤에 머리가 샛노란 형이 '짜장면 나왔습니다.' 하면서 문신으로 뒤덮인 팔로 짜장면과 소주를 쟁반에 담아 들고 왔다. 형 팔에 새겨진 문신은 검은 뱀 같았다. 나는 겁이 나서 은근슬쩍 엄마 옆에 붙었다. 하지만 하루 종일 굶어서 그런지 짜장면을 보니까 눈이 돌아갔다.

그릇에 고개를 처박고 짜장면을 먹다가 물통을 집으려고 고개를 들었다. 그때 건너편 탁자에서 수건으로 젓가락을 닦던 형과 눈이 마주쳤다. 겨울인데도 긴팔을 걷어 올린 형이 무뚝뚝한 표정으로 나를 쳐다봤다. 형이 내 눈 밑에 든 멍 자국을 보는 것 같아서 고개를 숙였다. 나는 빨리 집에 가고 싶어서 입 안으로 짜장면을 허겁지겁 넘겼다. 팔에 용 문신이 가득했던 팔뚝 아저씨들이 떠올랐다. 엄마가 계산을 하고 '신속 배달 방문각'이라고 쓰인 전단지를 들고 나올 때까지 나는 형과 눈이 마주치지 않으려고 고개를 다른 데로 돌렸다.

그날 이후, 가끔 그곳에서 짜장면을 시켰는데 매번 문신 형이 배달을 왔다. 올 때마다 나를 뚫어져라 쳐다보는 문신 형이 팔뚝 아저씨들이 몰래 보낸 스파이처럼 느껴졌다(우리 집이 형이 맡은 구역이란 걸 나중에서야 알았다). 그런데 언젠가부터 형은 그릇을 가지러 오면서 군만두를 우유 배달 구멍에 넣어 줬고, 나중엔 빈 그릇이 없는데도 종종 와서 군만두를 주고 갔다. 학교에선 공짜로 음식을 나눠 주는 사람을 조심하라고 했지만 자꾸 군만두를 먹다 보니까 무섭기만 했던 형이 왠지 착해 보였다. 문신도 자세히 보니 뱀이 아니었다. 손이 끝나는 지점부터 팔꿈치까지 잎사귀가 달린 검은 덩굴이 팔을 휘감았다. 팔뚝 아저씨들처럼 용이나 호랑이 같은 짐승이 아니었다. 그때 나는 문신했다고 다 무서운 사람은 아니라는 걸 깨달았다. 어느 날은 큰맘 먹고 슬그머니 문을 열었다. 배달 형이 나를 보며 웃었다. 그러더니 다짜고짜 머리부터 감으라고 말했다. 그렇게 엄마는 모르는 나만의 비밀이 생겼다.

배달 형이 나 말고 다른 사람을 좋게 말하기는 처음이었다. 그것도 하마엉덩이를 말이다. 내가 되물었다.

"걔가 왜 착해?"

"그 그네가 네 거냐? 동네 사람들 다 쓰라고 만든 거지. 걔는 그네가 비어 있으니까 탄 거잖아. 그런데 갑자기 누가 와서 나가라고 밀치니까 놀랐겠지. 거기서 같이 화낼 법도 한데 그냥 비켜 줬다면서."

기분이 나빴지만 형 말이 틀리지는 않았다. 나도 그쯤은 알았다. 놀이터가 공공시설이라는 건 초등학교에서 배웠다. 하지만 그네는 오래되었고 하나밖에 남지 않았다. 그러니까 조심히 타야 한다. 나는 그네가 부러질까 봐 걱정되었을 뿐이었다. 그런데도 형은 왜 내 편이 아니라 하마엉덩이 편을 들까?

배달 형은 고무줄을 나무젓가락 양 끝에 매달았다. 그러고는 전단지를 꺼내 반을 잘라 내고, 나머지 반을 계속 접었다. 반쪽짜리 전단지가 제법 두툼해지자 형은 접은 전단지 양 끝에 이빨로 구멍을 냈다. 구멍 난 자리에 나무젓가락에 매달린 고무줄을 집어넣어 고정시켰다. 형이 완성된 새총을 내밀었지만 나는 받지 않았다. 할 말은 없었지만 뭐랄까, 조금 불안했다. 형이 내 표정을 살피더니 말했다.

"아니, 걔 입장에선 그럴 수도 있다고. 걔는 그네에 별로 관심이 없으니까 그네가 오래되었는지 어떤지 모를 거 아니야. 네 입장에선 당연히 열받을 수 있지."

형이 한 말에 나는 부루퉁했던 입술을 슬며시 안으로 집어넣었다. 고개를 들어 형에게서 고무줄 새총을 받았다. 형이 한마디 더 했다.

"그리고 또래잖아. 나중에 또 만나게 되면 친해질 수도 있고."

"친해져? 뭐 하러?"

"또래 친구가 생기면 좋아."

"나한테는 형도 있고, 스핀도 있고, 엄마도 있어서 괜찮아."

"또래는 달라. 재미있는 일이 많아지거든."

형은 몸을 일으켜 철가방 문을 닫았다.

"쏴 봐. 잘 움직이는지."

나는 형이 버린 전단지를 찢고 거기에 침을 뱉어 총알처럼 동그랗게 만들었다. 종이 총알을 새총 가운데에 넣고 천장을 겨누었다. 아까부터 눈에 거슬렸던 나방이 천장에 얌전히 매달려 있었다. 나는 고무줄을 당겼다. 그리고 잠깐 숨을 멈추었다. 나방이 눈에 또렷하게 들어온 순간, 손을 놓았다. 전단지 총알이 순식간에 날아가 천장에 부딪쳤다. 전단지 총알과 죽은 나방이 함께 떨어졌다. 내 솜씨를 확인한 형이 고개를 끄덕였다.

"괜찮네. 나 이제 간다. 그리고 좀 씻어라. 그게 뭐냐? 일주일에 두 번은 샤워를 하란 말이야. 다음에 만나도 머리 떡져 있으면 군만두고 뭐고 없다, 알겠냐?"

"알겠어. 또 와."

나는 형을 향해 크게 손을 저었다. 형도 손을 흔들어 인사를 하고 현관문을 닫았다.

또래 

수건으로 젖은 머리를 대충 말렸다. 축축해진 수건을 방바닥에 던져 놓은 다음, 한쪽 팔을 베고 어항 앞에 누웠다. 스핀이 어항 밑에 가라앉아 쉬고 있었다. 나는 누운 채로 먹이통 뚜껑을 열었다. 붉은 가루에서 비릿하면서도 고소한 냄새가 풍겼다. 나는 엄지와 검지로 먹이를 집어 어항에 살살 뿌렸다. 먹이를 보자 스핀이 위로 빠르게 올라왔다. 배달 형이 다녀간 날에는 스핀에게 밥을 한 번 더 줬다. 나만 맛있는 걸 먹으면 괜히 미안했다.

스핀은 반년 전에 우리 집으로 왔다. 새벽에 엄마랑 분리수거를 하러 나갔다가 플라스틱을 넣는 통 옆에 놓인 어항을 봤다. 플라스틱 어항 안엔 이끼 낀 조약돌이 깔려 있었다. 물은 언제 갈았는지 물비린내가 났고, 허옇게 말라붙은 물풀들은 플라스틱 벽에 달라붙어 있었다. 그 안에서 은빛 물고기가 용하게 살아 있었다. 누가 꺼내 주지 않는 이상 그 안에서 벗어나지 못할 것이다. 누가 먹이를 줄 때까지 쫄쫄 굶을 것이다.

나는 엄마한테 어항을 가져가자고 졸랐다. 엄마는 당연히 안 된다고 잘라 말했다. 하지만 내가 자꾸 조르니까 마지못해 알겠다고 대답했다. 엄마는 술에 잔뜩 취하고 난 다음 날이면 기운이 빠져서인지 나한테 조금 너그러워지곤 했다. 마침 전날 밤에 엄마가 집에 남은 술병들을 입에 탈탈 털어 넣고는 저녁밥도 주지 않고 쓰러져 잠들어 버린 터였다.

나는 집으로 어항을 가져와서 대청소를 시작했다. 하루 종일 집에 있다 보니 할 일이 없어서 심심했는데, 며칠간은 어항을 들여다보느라 시간 가는 줄 몰랐다. 어항 물을 새로 갈고 말라 죽은 물풀도 싹 걷어 냈다. 이끼 낀 조약돌도 하나하나 닦았다. 깨끗해지는 건 어항이었는데 이상하게도 내가 개운해지는 것 같았다. 비실비실하던 은빛 물고기도 차츰 움직임이 늘었다.

마지막 돌멩이까지 닦은 날, 텔레비전에서 스포츠 경기를 봤는데 어떤 피겨스케이팅 선수가 빠르게 회전을 하니까 심사위원들이 "스핀이 기가 막힙니다!"라고 했다. 회전이라면 은빛 물고기도 뒤지지 않았다. 어찌나 힘이 좋은지 엄지만 한 녀석이 가끔은 뱅글뱅글 돌다가 수면 밖으로 튀어나와 바닥으로 곤두박질쳤다. 나는 물고기에게 스핀이라는 이름을 지어 주었다.

스핀이 먹이를 먹을 때마다 수면에 작은 물방울이 생겼다. 물방울이 옆으로 밀려나다가 퐁, 하고 터졌다. 스핀이 나를 쳐다봤다. 진짜로 날 보는지 모르겠지만 동그란 두 눈이 나를 향해 있었다. 나는 스핀을 보며 말했다.

"스핀, 너도 들었지? 형이 한 말."

오늘따라 형이 했던 말이 마음에 걸렸다. 나는 형에게 내 얘기를 많이 했지만 아직 털어놓지 않은 게 있었다. 내게도 또래 친구가 있긴 했다. 이사 오기 전까진 그랬다. 하지만 그렇게 좋은 기억은 별로 없다. 유치원에 다닐 때는 나영이라는 여자애랑 가장 친했다. 우리 반에서 나랑 그 애만 종일반이었다. 친구들이 모두 집에 가면 우리는 해가 질 때까지 놀았다.

하루는 나영이가 엄마 아빠 놀이를 하자고 했다. 그게 뭐냐고 물었더니 엄마 아빠를 따라 하는 거라고 설명했다. 그래서 나는 그 애를 밀어 넘어뜨리면서 돈 벌어 오라고 소리를 질렀다. 나영이는 유치원이 떠나가라 울었다. 그 뒤로 나랑은 말도 섞지 않았다.

초등학교에 들어가서는 성진이랑 어울렸다. 우리는 구립 아동 복지관에서 만났다. 성진이는 나랑 비슷한 점이 많았다. 복지관에서 저녁을 먹었고, 외동이었다. 그리고 성진이도 아빠를 별로 좋아하지 않았다. 언젠가 성진이는 내게 아빠가 없었으면 좋겠다고 털어놓았다. 나도 같은 생각이었다. 나중에 어른이 되면 서로 아빠를 몰아내자고 말하면서 키득거렸다. 그 일을 나 말고 다른 사람이 하리라곤 상상도 못했지만 말이다. 아빠는 나중에 다시 돌아온 팔뚝 아저씨들에게 얻어터지고 난 다음, 돈을 만들어 오겠다는 말만 남기고 집을 나갔다.

나는 처음에 팔뚝 아저씨들이 무서우면서도 내심 고마웠다. 엄마의 복수를 대신해 주는 줄 알았다. 그렇지만 그건 내 착각이었다. 팔뚝 아저씨들은 아빠가 없으니까 엄마와 나를 괴롭혔다. 아빠가 집에 안 들어온 지 일주일쯤 지난 새벽, 엄마는 내 손을 붙잡고 서둘러 집을 나왔다. 문을 닫고 보니 대문 전체에 피처럼 빨간 글씨로 '죽어.'라고 쓰여 있었다.

엄마와 나는 첩보원처럼 여기저기 숨어 다녔다. 매일 다른 장소에서 잠을 잤다. 대부분은 찜질방에서 시간을 보냈다. 하루가 되기 전에 다른 찜질방으로 옮겼다. 24시간을 넘기면 돈을 더 받았던 데다가 아줌마들이 나와 엄마를 보며 수군거렸기 때문이었다. 커다란 상가 건물의 장애인 화장실에서 잠든 적도 몇 번 있었다. 운이 아주 좋으면 여관에서 묵었다.

우린 늘 사람이 없는 새벽에만 돌아다녔다. 시간이 갈수록 엄마와 나는 첩보원이 아니라 피난민 같아졌다. 아무리 빨아 입어도 옷에서는 퀴퀴한 냄새가 났고, 팔다리는 앙상해졌다. 처음엔 학교에 안 가니까 좋았는데 나중엔 학교랑 집이 그리웠다. 성진이도 보고 싶었다.

곰팡이가 찌든 여관에서 묵은 날, 엄마가 낮잠 자는 틈을 타서 엄마 핸드폰으로 몰래 성진이 집에 전화를 걸었다. 별 얘기는 하지 않았다. 성진이가 질문을 쏟아 냈지만 갑자기 내가 눈물이 나고 목이 메어서 제대로 말하지 못했다. 그런데 그날 저녁, 팔뚝 아저씨들이 여관에 나타났다. 아저씨들은 방마다 문을 두드리고 다니면서 '영유 엄마'를 찾으러 다녔다. 문 너머로 욕설과 발길질 소리가 생생하게 들려왔다. 어찌나 욕을 잘하던지 듣기만 해도 벌벌 떨렸다. 엄마가 내 입을 틀어막지 않았더라면 비명 때문에 팔뚝 아저씨들에게 들켰을지도 모른다.

경찰이 오고 나서야 팔뚝 아저씨들이 물러났다. 엄마가 통화 목록을 확인하고는 핸드폰으로 내 머리통을 쉬지 않고 후려쳤다. 정수리 뒤쪽에서 피가 묻어났다. 그 이후로 나는 성진이에게 연락하지 않았다. 팔뚝 아저씨랑 어떻게 알았는지 모르겠지만, 괜한 배신감이 들었다. 어쩌면 또래는 나랑 안 맞는지도 모른다. 친해지고 싶었지만 결국은 곤란한 일만 벌어졌다.

어느새 스핀이 밥을 다 먹고는 물방울까지 먹으려고 수면을 향해 입을 뻐끔댔다. 입을 벌릴 때 스핀은 참 귀여웠다. 내가 스핀을 살렸지만 지금은 스핀이 내게 기운을 줬다.

"난 네가 있으니까 됐어."

나는 어항을 쓰다듬었다. 차가운 어항이 미지근해지도록 쓸고 또 쓸었다.

° ₒ ° ° ₒ ○

눈이 떠졌다. 나는 어항에 손을 댄 채 누워 있었다. 현관문에서 비밀번호 눌리는 소리가 들렸다. 언제나 엄마는 비밀번호 여덟 자리를 순식간에 눌렀다. 그런데도 나는 그 시간이 조금은 길게 느껴졌다. 반가움과 무서움이 동시에 들었다. 문이 열렸다. 엄마는 비쩍 마른 손에 생생마트 마크가 새겨진 비닐봉지를 들고 들어왔다. 뼈다귀 같은 팔에 시커먼 가방이 매달려 덜렁거렸다.

"엄마!"

나는 누워 있지 않은 척하려고 자리에서 벌떡 일어나 한달음에 엄마 앞으로 갔다. 엄마가 왔을 때 내가 누워 있으면 짜증을 냈다. 엄마는 맨날 일했다. 평일에는 회사에 출근하고, 주말에는 빌라 전체를 쓸고 닦았다. 엄마가 술에 잔뜩 취했을 때 자신이 여기 빌라를 청소하기 때문에 이 집을 얻을 수 있었다고 말한 적이 있었다. 그래서인지 엄마는 집에서 청소하는 걸 엄청나게 싫어했다. 엄마는 비닐봉지를 내려놓기도 전에 싱크대부터 살폈다. 싱크대 안엔 배달 형이랑 노느라 설거지하는 걸 잊어버린 그릇들이 쌓여 있었다. 그걸 본 엄마가 내 머리를 쥐어박았다.

"어휴, 지겨워. 내가 집에서도 일해야 하니?"

나는 맞은 부분을 손바닥으로 문지르며 슬며시 뒷걸음쳐서 어항 옆으로 갔다. 엄마가 화낼 때 스핀이 곁에 있으면 두려움이 덜했다. 나는 떨리는 마음으로 말했다.

"지금 빨리 할게."

"됐어."

엄마는 싱크대 앞에 비닐봉지를 신경질적으로 내려놓고 인스턴트 밥 두 개와 김, 요거트 두 개를 비닐봉지에서 꺼냈다. 마트 전단지와 비닐봉지는 구겨서 냉장고 옆에 뒀다. 나는 서 있다가 요거트를 집어 들어 냉장고에 넣었다. 그러고 다시 엄마에게서 멀찌감치 떨어져 있었다. 오자마자 화를 내는 걸 보니 엄마가 직장에서 잘 안 풀린 모양이었다. 엄마는 기분이 나쁘면 티가 금방 났다. 기분이 안 좋을 때는 집에 들어오자마자 나한테 짜증을 내거나 물건을 던졌다. 나는 엄마가 맨날 기분이 좋길 바랐다. 하지만 그런 날은 한 달에 한 번 있을까 말까 했다.

나는 엄마가 그 말을 해 주길 은근히 기다리며 엄마의 뒤통수를 쳐다만 보고 있었다. 엄마가 서랍에서 참치 캔을 꺼내면서 말했다.

"가방에서 멀티탭 꺼내 가."

나는 엄마 말을 듣자마자 시커먼 가방에서 하얀 선을 꺼냈다. 이게 있으면 텔레비전을 볼 수 있었다. 우리 집 텔레비전은 벽에 달린 콘센트와 멀찍이 떨어져 있었다.

멀티탭이 없으면 텔레비전을 도저히 켤 수 없었다. 엄마는 내가 하루 종일 집에서 텔레비전을 보면 중독된다면서 출근할 때 멀티탭을 가져갔다. 아빠도 게임에 중독돼서 팔뚝 아저씨들에게 돈을 빌리는 바람에 집안이 풍비박산 났으니까 중독은 언제나 조심해야 한다고 말했다. 나는 텔레비전으로 게임을 하는 게 아니라고 대들었다가 엄마에게 멀티탭 뭉텅이로 얻어맞은 다음부턴 찍소리도 하지 않았다.

나는 쏜살같이 방에 들어가 텔레비전에 멀티탭을 연결했다. 텔레비전이 켜져 있지 않은 방은 왠지 으스스했다. 방에는 이사 간 사람이 두고 갔다는 장롱이랑 텔레비전밖에 없었다. 그래서 혼자 있을 땐 방에 들어가지 않고 아예 방문을 닫아 뒀다.

전원을 누르자 텔레비전이 켜졌다. 나는 텔레비전 옆에 달린 채널 버튼을 이리저리 눌러 만화를 틀었다. 넋 놓고 텔레비전을 보고 있는데 엄마가 싱크대에서 나를 불렀다.

“상 날라.”

“응.”

나는 일어나서 상을 들고 텔레비전 앞에 내려놓았다.

조그만 상에 막 데운 인스턴트 밥 두 개와 참치 캔, 물통, 컵, 그리고 소주병이 놓여 있었다. 엄마는 꼭 나보고 상을 나르라고 시켰다. 밖에서도 뒤치다꺼리를 하는데 집에서까지 그래야 하냐면서 나에게 넘겼다.

방으로 들어온 엄마가 리모컨 버튼을 꾹꾹 눌렀다. 한참 돌리다가 멈춘 채널은 예능 프로그램이었다. 엄마가 리모컨을 내려놔서 나는 리모컨을 내 쪽으로 조심스레 끌어왔다. 엄마 옆에 있는 물건은 뭐든 날 향하는 무기가 될 수 있었다. 나는 가능하면 엄마 주변에 물건을 두려고 하지 않았다.

예능 프로그램에서는 '친구 특집'을 하고 있었다. 얼굴이 염소를 닮은 남자 개그맨이 자기 옆에 앉은 뚱뚱한 개그맨의 어깨를 툭 치며 농담을 던졌다. MC와 다른 게스트들이 와하하, 웃었다. 그걸 보니 엄마에게 말을 걸고 싶어졌다. 엄마는 빈 컵에 소주를 부었다. 소주병에서 소주가 꿀렁꿀렁하며 빈 컵 안으로 미끄러져 들어갔다.

"엄마."

"왜."

"엄마도 또래 친구 있어?"

"난데없이 무슨 소리야."

"그냥. 텔레비전에 나와서."

"돈 없으면 그런 거 다 의미 없어."

엄마가 목을 뒤로 꺾어 가며 컵에 든 소주를 들이켰다. 나는 고개를 끄덕였다. 엄마 말이 맞는 것 같았다. 집을 나오기 전엔 엄마에게도 친구가 있었다. 그런데 엄마가 집을 나오고 나서는 친구들이 달라졌다. 엄마는 전화기를 붙잡고 마치 친구가 앞에 앉아 있는 것처럼 연신 고개를 조아렸다. 전화를 끊고 엄마는 얼굴이 빨개진 채로 눈물을 뚝뚝 흘렸다. 심지어 엄마랑 자주 목욕탕에 다녔던 아줌마는 엄마가 전화를 거니까 옆에 있는 나까지 들릴 정도로 연락하지 말라며 고래고래 소리를 질렀다. 나중엔 아무도 엄마 전화를 받지 않았다. 엄마는 울지도 웃지도 않았다. 대신 괜한 일로 트집을 잡아 나를 엄청 혼냈고 때렸다.

엄마가 바닥을 더듬거리다가 내 쪽에 있는 리모컨을 보더니 인상을 썼다.

"내놔."

내가 엄마에게 리모컨을 건네자 엄마가 빼앗듯이 받아서 채널을 돌렸다. 나는 내심 엄마가 만화를 틀어 놓길 바랐지만 엄마는 만화 채널을 지나 스포츠 채널, 종교 채

널도 계속 넘겼다. 굶주린 사자가 돌아다니는 다큐멘터리를 틀고 나서야 엄마는 리모컨을 내려놓았다. 나는 텔레비전을 보면서도 계속 엄마가 리모컨을 어디에 두는지 곁눈질로 살폈다.

엄마는 벽에 등을 기대고 눈을 감았다. 나는 상을 들어 거실로 가지고 나갔다. 참치 캔과 내가 내일 먹을 밥을 랩으로 싸서 냉장고에 넣었다. 빈 인스턴트 밥그릇은 화장실로 가서 버리곤 다시 거실로 돌아와 상다리를 접어 냉장고와 싱크대 사이에 상을 집어넣었다.

그러는 동안 엄마가 했던 말을 다시 되뇌었다. 또래란 역시 별로 필요 없는 존재였다. 이렇게 결론을 내리고 나니 마음이 편해지면서도 허전했다. 만화를 기대하다가 지루한 다큐멘터리를 보게 되는 기분이랑 비슷했다.

방으로 돌아오니 다큐멘터리가 끝났는지 금융 광고가 나오고 있었다. 양복을 멀끔하게 차려입은 아저씨가 "이웃처럼 편하게 생각하세요."라고 느끼하게 말했다. 엄마가 이마를 찌푸리면서 텔레비전을 껐다. 그러고는 나를 보더니 앙상한 손가락으로 장롱을 가리켰다.

"이불 깔아. 자자."

엄마는 몸을 간신히 일으켰다. 나는 장롱을 열어 이불

을 꺼내 왔다. 엄마가 요를 먼저 깔았다. 그 위로 내가 베개 두 개를 놓고 얇은 이불을 펼쳤다. 나는 리모컨을 텔레비전 바로 아래에 뒀다. 엄마가 베개에 머리를 뉘었다. 나는 불을 끄고 이불 속으로 들어가 엄마 팔에 살짝 손끝을 댔다. 엄마랑 너무 가까이 있으면 잠이 오지 않았지만 엄마 살갗에 내 손이 조금 닿아 있으면 잠이 잘 왔다. 엄마가 숨 쉴 때마다 알코올 냄새가 풍겼다.

"영유야."

웬일로 엄마가 내 이름을 불러 주었다. 나는 가슴이 뛰었다. 내가 "응."이라고 대답하자 엄마가 느릿느릿하게 말했다.

"눈 감으면 편하지? 눈 감으면 모든 게 깜깜해지잖아. 힘든 것도 끝나고. 엄마는 오랫동안 눈 감고 싶다."

그러더니 엄마는 바로 코를 골았다. 원래 엄마는 베개에 머리만 대면 금방 잠들었다. 나는 눈을 뜨고 엄마를 바라봤다. 시간이 지나니 어둠 속에서 엄마 얼굴이 희미하게 보였다. 눈 옆에 난 흉터, 움푹 팬 볼, 갈라진 입술. 예전에 비해 달라지긴 했지만 엄마는 똑같은 엄마였다.

나도 엄마를 따라 눈을 감았다. 마음속으로 엄마에게 잘 자라고 속삭였다.

총알

"스핀, 이것 봐라. 잘 만들었지?"

나는 종이 총알을 스핀에게 보여 줬다. 어항 근처에 손을 갖다 대자 스핀이 새끼손톱만 한 지느러미를 앞뒤로 저으며 다가왔다.

엄마가 구겨 놓은 마트 봉지에서 전단지를 꺼내 따로 어항 뒤에 뒀다. 마트 전단지는 신문지랑 비슷했다. 배달형이 일하는 중국집 전단지보다 더 잘 뭉쳐졌다. 나는 전단지를 반으로 접어 찢었다. 반쪽은 나중을 위해 어항 아래 두고, 나머지 반쪽으로 종이 총알을 열심히 만들었다.

나는 현관에서부터 싱크대까지 천장과 벽을 훑어봤다. 오늘은 종이 총알로 날벌레를 잡으며 시간을 보낼 계획이었다. 종이 총알을 다 만들기 전에 미리 목표물부터 확인하고 싶었다. 혹시나 파리가 돌아다니지 않는지 귀를 기울였다. 벌레 대신 여러 사람이 수군대는 소리만 멀리서 들려왔다.

"돼지 새끼가 여기까지 기어 왔네?"

"병신, 우리가 모를 줄 알았나 보지."

가만 들어 보니 나이가 어린 듯했다. 이 동네에서도 가끔 소란이 벌어졌다. 창문으로 내다보면 열에 아홉은 할머니나 할아버지였다. 어른들끼리 실랑이를 벌이면 가끔은 경찰관 누나가 출동해서 싸우는 어른들을 말렸다. 어린 목소리가 낯설고 오랜만이라 신기했다. 나는 종이 총알을 만들면서 멀리서 나는 소리에 집중했다. 딱 한 사람이 앓는 소리를 냈다. 듣기만 해도 얄미운 목소리가 울먹거리며 한마디 던졌다.

"선생님한테 다 이를 거야!"

나는 종이 총알을 굴리다 말고 고개를 들었다. 앉은 자리에선 창문이 보이지 않았다. 몸을 일으켜 싱크대 창문으로 다가갔다. 맞은편 놀이터에 있는 내 빨간 그네에 하마엉덩이가 또 앉아 있었다. 게다가 다른 남자아이들이 그 주위를 둘러쌌다. 또 나가야 하나 싶었는데 하마엉덩이 말고 모르는 애들이 셋이나 있어서 일단은 잠자코 지켜보기로 했다. 머리카락을 위로 바짝 세운 애가 손가락으로 하마엉덩이 이마를 콕콕 찍었다. 하마엉덩이가 뭐라고 하자 그 옆에 있던, 머리를 빡빡 민 남자애가 하마엉덩이의 정강이를 발로 찼다. 하마엉덩이 빼고 다들 즐거워 보였다. 그 모습이 웃으며 아빠를 발로 밟던 팔뚝 아저씨들과 겹쳤다.

머리카락을 위로 세운 남자애가 계속 하마엉덩이에게 무어라 중얼거렸다. 눈꼬리도 머리카락처럼 바짝 올라가서 그런지 얼굴 자체가 송곳 같았다. 송곳은 그네에 앉은 하마엉덩이의 뒤로 가서 등을 발로 차 버렸다. 하마엉덩이가 중심을 못 잡고 앞으로 넘어졌다. 그러자 송곳이 빨간 그네에 올라타 하마엉덩이 등에 두 발을 올려놓은 채 그네를 탔다.

"돼지처럼 울어 봐. 그럼 풀어 줄게."

옆에서 곱상하게 생긴 애가 낄낄대며 핸드폰을 들고 사진을 찍었다. 핸드폰이 찰칵, 소리를 내며 플래시까지 터트렸다.

인상이 찌푸려졌다. 왜인지는 모르겠지만 마음이 용암처럼 끓었다. 팔뚝 아저씨들이 아빠를 때릴 때에도 그랬다. 처음에는 아빠가 꼴좋았지만 갈수록 화가 치밀었다.

팔뚝 아저씨들이 두 번째로 우리 집에 온 날엔 아빠도 집에 있었다. 아저씨들은 아빠를 보자마자 방바닥에 쓰러뜨리더니 광이 나는 구두로 마구 밟아 대기 시작했다.

그때 엄마는 거실 구석에서 나를 꽉 붙잡고 있었다. 나는 나중에 눈을 감았다. 감은 눈에서 눈물이 떨어졌고 어깨가 들썩거렸다. 불같은 화가 위장에서부터 식도를 타고 위로 솟구쳐 올랐지만 무서움이 내 입을 틀어막았다. 그날 아저씨들이 떠난 뒤에 나는 열이 나서 다음 날 학교를 가지 못했다.

이번에도 나는 가만히 있었다. 엄마 대신 싱크대 창살과 나무들이 나를 가려 주었다. 나는 그때처럼 생생하게 지켜보는 일밖에 하지 못했다. 대체 하마엉덩이가 뭘 잘못했을까? 비록 얄밉게 말하고 내가 소중히 여기는 그네도 아무렇지 않게 탔지만 저렇게까지 맞아야 하나, 하는 의문이 들었다. 무엇보다도 맞는 것은 무조건 아프고 또 슬펐다. 엄마 한 사람한테 맞는 것도 미칠 지경인데, 여러 사람에게 맞으면 나는 맞다가 그 자리에서 죽어 버렸을지도 몰랐다. 나는 주먹을 꽉 쥐었다. 딱딱하게 굳은 총알이 만져졌다. 다시 손바닥을 펼쳤다. 종이 총알이 바닥으로 떨어져 굴러갔다.

내 머릿속으로 아찔한 생각이 도르르 굴러 들어왔다.

나는 바닥에 모아 놓은 종이 총알들을 한 줌 집어 주머니에 넣었다. 다른 손으로는 새총을 들었다. 아이들이 비웃는 소리도 커졌다. 아무도 이곳을 보고 있지 않았다. 나는 새총 가운데 종이 총알을 넣고 고무줄을 잡아당겼다. 그리고 송곳에게 겨누었다. 두 눈을 크게 떴다가 한 쪽 눈을 감았다. 매서운 눈꼬리가 더욱 또렷하게 보였다. 숨을 멈췄다. 고무줄을 최대한 멀리 잡아당겼다. 노란 고무줄 가닥이 가늘고 팽팽해졌다. 속으로 셋을 셌다.

하나, 둘, 셋.

나는 종이 총알을 잡은 손을 놓았다.

총알은 놀이터 문턱을 넘기도 전에 사라졌다. 아이들은 여전히 저희끼리 웃어 대며 촬영을 하고, 하마엉덩이의 등을 운동화로 꾹꾹 눌렀다. 나는 있는 자리에서 나머지 총알을 모조리 쏘아 댔다. 아무리 고무줄을 잡아당겨도 종이 총알은 나무들 사이로 맥없이 떨어졌다. 종이로 만든 총알은 집 바닥에서 천장을 쏘아 맞히기에 딱 좋았다. 좀 더 크고 무거운 총알이 필요했다.

나는 화장실로 들어가 분리수거 통을 뒤적거렸다. 플라스틱만 담는 봉지에는 플라스틱 생수병 뚜껑들만이 달그락거렸다. 그 옆 봉지 안에는 소주병들이 맥주 캔과 뒤엉켜 있었다. 그 안을 손으로 헤집다가 엄청나게 쓰라린 느낌에 손을 뺐다. 왼쪽 검지에서 피가 배어났다. 나는 입으로 피를 빨면서 화장실을 나왔다. 어항 앞에 털썩 주저앉았다. 스핀은 내가 와도 본체만체했다. 어항 아래쯤에서 가만히 꼬리만 흔들어 댔다.

"스핀, 어떻게 하면 좋을까?"

스핀은 아무렇지도 않은 눈치였다. 하얀 돌멩이들이 쌓인 곳 언저리를 여유롭게 돌아다녔다. 돌멩이는 내가 만든 종이 총알보다 더 크고 단단해 보였다. 나는 다시 화장실로 가서 비누로 손을 빡빡 씻은 다음 거실로 돌아왔다. 그대로 어항에 손을 집어넣자 스핀이 내 손을 향해 꼬리 치며 다가왔다. 그걸 보니 미안한 마음이 들었다.

"스핀, 미안. 몇 개만."

나는 스핀이 혹여나 다칠까 아주 천천히 손을 내려 돌멩이 세 개를 건졌다. 계속 물에 잠겨 있어서인지 돌멩이가 미끈거렸다.

하마엉덩이가 바락바락 악을 쓰는 소리가 뒷덜미를 따갑게 때렸다. 동시에 패거리가 하마엉덩이를 비아냥거렸다. 나는 스핀을 내려다보며 진심을 다해 말했다.

"스핀, 진짜 미안."

나는 어항에서 돌 세 개를 더 건져 올렸다. 돌멩이에 묻은 물기를 옷에 대충 문질러 닦았다. 돌멩이들을 싱크대 위에 올려놓고 그중에서 가장 큰 돌멩이를 집었다. 싱크대 창문 너머로 교복 입은 무리가 보였다. 송곳과 빡빡머리가 촬영하던 아이의 핸드폰을 구경했다.

그네에 앉아 움직이지 않는 상대가 좋은 표적이었다. 나는 송곳이 메고 있는 책가방에 새총을 겨누었다. 숨을 크게 들이쉬었다. 그 녀석은 친구들과 계속 대화를 나누었다. 나는 날아다니는 벌레를 맞힌 적은 없지만, 가만히 천장에서 쉬고 있는 날벌레들은 다 맞혔다. 호흡을 그대로 참고 한쪽 눈을 감았다. 그때 파리가 지나갔다. 잠시 호흡이 입 밖으로 새어 나갔다. 쥐고 있던 돌멩이도 고무줄에서 빠져나갔다. 1초도 되지 않아 맞은편에서 욕지거리가 들려왔다.

돌멩이

송곳은 한 손으로 자신의 팔을 붙들며 뱀처럼 몸을 뒤틀었다. 뒤통수만 봐도 그 애가 얼마나 고통스러워하는지 느껴졌다. 옆에서 다른 남자애들이 어리둥절한 표정으로 송곳을 쳐다봤다. 빡빡머리가 녀석의 어깨에 손을 올리자 송곳이 거칠게 뿌리쳤다.

"아 씨, 건들지 마라!"

송곳의 목소리가 떨렸다. 원래는 송곳이 메고 있는 책가방을 맞혀서 주위를 돌리려고 했다. 돌멩이를 날리려던 찰나에 파리가 지나가서 집중력이 흐트러졌다. 그러나 결과는 더 흡족했다.

나는 몸을 수그리고 창문 구석으로 눈만 내밀었다. 패거리가 송곳에게 왜 그러냐고 물으면서 주변을 두리번거렸다. 저쪽에선 작은 창문보다 빌라 앞에 심긴 나무들만 보이는 모양이었다. 이쪽을 돌아보는 사람은 없었다. 하얀 돌멩이에 대해서도 얘기하지 않았다.

빡빡머리가 대뜸 하마엉덩이에게 소리쳤다.

"이 새끼, 너 뭔 짓 했지?"

"내가 뭐 어쨌다고!"

"미친 새끼가 지금 개기냐?"

빡빡머리가 손바닥으로 하마엉덩이를 연신 내리쳤다. 나는 빡빡머리의 손바닥에서 눈을 떼지 않은 채 하얀 돌멩이 하나를 집어 새총에 끼웠다. 그러고는 고무줄에 걸친 돌멩이를 뒤로 뺐다. 마침내 송곳이 그네에서 일어나더니 하마엉덩이의 가방을 향해 턱짓을 하며 말했다.

"빨리 뜯고 가자."

빡빡머리가 하마엉덩이의 책가방을 열었다. 한 손은 책가방 위를 붙잡고, 다른 손은 책가방 안에 넣어 뒤적거렸다. 나는 빡빡머리의 두툼한 손에 온 신경을 기울여 새총을 겨누었다. 아까보단 여유롭게 돌멩이를 발사했다. 내 손을 떠난 돌멩이가 허공을 가로질렀다. 빡빡머리가 새된 소리를 지르며 한 손을 잡고 옆으로 굴렀다.

다른 남자애들이 어리둥절해했다. 나는 그 뒤로도 돌

멩이 세 개를 연달아 날렸다. 두 개는 빗나갔고, 하나는 핸드폰으로 촬영하던 놈의 다리에 맞았다. 그놈은 다리를 움켜쥐며 핸드폰을 떨어뜨렸다.

"누가 돌 날렸어! 어떤 새끼야!"

그놈이 핸드폰을 주워 들며 외쳤다. 나는 덜컥 겁이 나서 재빨리 창문을 닫았다. 싱크대 서랍장에 등을 대고 쭈그려 앉자 창문 너머로 큰 소리가 들려왔다. 패거리가 무슨 얘기를 하는지 귀를 쫑긋했다. 녀석들은 저희끼리 옥신각신했다.

"저 나무 근처에서 날아오지 않았냐?"

"몰라, 시발. 어떤 새낀지 내일 내가 학교 다 뒤져서 찾고 만다."

"병원부터 가자. 나 손목 제대로 맞았어."

터벅거리는 발소리와 함께 패거리의 목소리가 점점 작아졌다. 나는 스핀을 쳐다봤다. 스핀은 어항 안에서 나를 쳐다보며 뻐끔거렸다. 그러고 보니 스핀에게 먹이 주는 것을 까먹었다. 나는 스핀에게 말했다.

"스핀, 해냈어."

두 손으로 바닥을 짚고 자리에서 천천히 일어났다. 패거리가 갔는지 확인하고 싶었다. 창문 밖을 내다봤다. 홀로 남은 하마엉덩이가 그네 위에 책가방을 올려놓고 허연 신발 자국을 털어 내고 있었다. 하마엉덩이는 책가방을 메더니 고개를 이쪽저쪽으로 돌리면서 빌라가 있는 곳으로 천천히 다가왔다. 하마엉덩이의 눈이 사방을 헤매다 나에게서 멈췄다. 나는 흠칫했지만 굳이 눈을 피하지 않았다. 멀리서 본 하마엉덩이는 처음 봤을 때보다 초라했다. 양 볼은 발갛게 달아올랐고 머리카락은 헝클어졌다. 문득 배달 형이 했던 말이 떠올랐다. 나는 입이 달싹거렸다. 생각해 뒀던 말을 꺼내고 싶었다.

"그……."

하지만 막상 입이 떨어지지 않았다. 몇 번 더 시도했지만 나는 아무 말도 할 수 없었다. 갑자기 허기가 졌다. 나는 활짝 열린 창문의 모기장 문과 유리문을 차례로 닫았다. 창문에서 고개를 돌려 냉장고 문을 열었다. 엄마가 어제 사 온 요거트를 꺼냈다. 가까이서 보니 요거트는 유통기한이 어제까지였다.

냉장고 문을 닫고 싱크대 서랍에서 물고기용 먹이통과 플라스틱 숟가락을 꺼냈다. 어항 앞에 앉아 붉은색 가루를 물 표면에 뿌렸다. 스핀이 헤엄쳐 올라와 자그만 입을 벌렸다. 나는 스핀에게서 눈을 떼지 않은 채 요거트 뚜껑을 뜯었다. 새콤한 딸기 향이 올라왔다. 뚜껑에 붙은 요거트를 핥아 먹고 통을 들어 음료수처럼 마셨다.

자꾸만 입꼬리가 올라갔다. 내가 이겼다. 셋이나 되는 패거리를 몰아냈다. 내 기억 속에서 아빠를 밟아 대던 팔뚝 아저씨들도 조금은 흐릿해졌다.

그때 경쾌한 초인종 소리가 들렸다. 이 시간에 우리 집을 찾아올 사람은 없었다. 배달 형은 어제 왔다 갔고, 이틀 연속 온 적은 없었다. 엄마는 비밀번호를 누르고 들어와서 초인종을 쓰지 않았다. 나는 요거트 통과 숟가락을 조용히 내려놓았다. 초인종이 연거푸 울리더니 누군가 문을 두드리며 말했다.

"저기, 아까 너 맞지?"

가느다란 목소리를 들으니 긴장이 새어 나갔다. 나는 일어나서 현관문에 가까이 갔다. 문 한가운데 달린 구멍으로 바깥을 내다봤다. 하마엉덩이가 발그레한 얼굴을 들이밀었다.

"여기 있는 거 다 알아. 아까 봤어."

'그래서 어쩌라고.' 하고 대답하고 싶었지만 잠자코 있었다. 하마엉덩이가 입을 씰룩이더니 시야에서 사라졌다. 나는 얕은 한숨을 내뱉었다. 그런데 하마엉덩이가 쿵쾅거리며 다시 우리 집 문 앞으로 왔다.

"너 여기 있는 거 맞잖아. 내가 두 번이나 확인했어."

나는 입술을 깨물었다. 처음 보는 게 아니긴 했어도 모르는 사람에게 말하기란 참 어려웠다. 대답을 해야 할지, 대답한다면 무슨 말을 해야 할지 망설여졌다. 고민하다 겨우 한마디 내뱉었다.

"왜?"

"할 말이 있어서 그러는데 잠깐 문 열어 줄 수 있어?"

"말해. 여기서도 들려."

그러자 하마엉덩이는 무어라 구시렁거렸다. 문을 사이에 둬서 잘 들리지는 않았지만, 내가 그네 타지 말라고 경고했을 때 보인 반응과 비슷한 느낌이었다. 혼잣말을 끝낸 하마엉덩이가 헛기침을 하더니 또박또박 말했다.

"아니, 그냥. 고맙다고."

그 뒤로 뭐 이렇게 까칠하냐는 둥, 자기 딴에는 그 말을 하려고 용기를 냈다는 둥, 주소 잘못 찾은 줄 알고 이 집이 맞는지 여러 번 확인했다는 둥 하는 말이 길게 따라 붙었다.

내 머릿속에는 고맙다는 말만 남았다.

누굴 만나든 고맙다는 말을 쓰는 쪽은 항상 나였다. 집

없이 돌아다닐 때에도 여관방 주인아줌마에게 방값을 깎아 줘서 감사하다고 엄마와 함께 허리를 숙였다. 한때 나는 배달 형이 군만두를 가져다줄 때마다 고맙다고 인사했다. 형이 이제 그 말 좀 그만하라고 한 뒤에야 멈췄다. 그런데 그 말을 하마엉덩이가 나에게 했다. 마음이 몽글몽글해지고 따뜻해졌다. 낯설고 이상한 느낌이었다.

시계를 쳐다봤다. 시계는 4시 40분을 지나고 있었다. 5시가 되려면 아직은 여유가 있었다. 5시가 넘으면 엄마가 올 준비를 해야 했다. 바닥에 부스러기가 떨어졌는지 확인하고 거실과 안방을 걸레로 닦아야 했다. 나는 현관문 앞에 바짝 붙어 섰다. 그 자세로 한참을 머뭇거리다가 진작부터 하고 싶었던 말을 꺼냈다.

"그네…… 타도 돼."

"그네? 네 거라고 말한 그 빨간 그네?"

"응."

하마엉덩이는 대꾸하지 않았다. 얼굴이 보이지 않으니 뭘 하는지 알 수 없었다. 이대로 달려가서 그네를 타려는 건 아닌가, 하는 생각이 들자 괜히 초조해졌다. 하마엉덩이가 입을 뗐다.

"넌 학교 안 다녀?"

"응? 응. 엄마가 가지 말래."

"진짜? 좋겠다. 난 학교 가기 진짜 싫은데."

학교에 가지 않는 게 좋은지는 모르겠다. 나는 엄마가 시키는 대로 따랐을 뿐이었다. 학교는커녕 동네 주변을 혼자 돌아본 적도 없었다. 그런 나를 하마엉덩이는 부러워했다. 진짜 별난 녀석이었다. 이번엔 내가 물었다.

"넌 몇 살이야?"

"열네 살. 너는?"

"나도."

"어? 나보다 어린 줄 알았더니 동갑이네."

나는 '동갑'이란 단어를 입으로 되뇌어 봤다. 배달 형 말이 맞았다. 하마엉덩이는 중학생이었고, 나와 또래였다. 나랑 나이가 같으니까 괜히 궁금증이 더 생겼다. 내가 또 물었다.

"너도 여기 살아?"

"아니. 나는 궁전 아파트 살아. 여기서는 좀 멀어. 걸어서 20분쯤?"

"거기도 그네 있어?"

"당연하지. 아파트 단지에 큰 놀이터가 있거든."

"근데 여긴 왜 왔어?"

"그냥, 나만의 장소랄까? 여긴 우리 학교에서도 멀리 떨어져 있거든. 궁전 중학교 말이야."

"학교가 싫어? 이름은 멋진데."

"아니야. 별로야."

하마엉덩이는 학교 얘기만 나오면 대답이 짧아졌다. 나는 도로 시계를 봤다. 5시가 다 되었다. 얼른 녀석을 돌려보내야 했다.

"나 이제 바빠. 할 거 있어."

"아, 알았어. 그냥, 말하는 게 오랜만이라……."

그건 나도 마찬가지였다. 하지만 엄마가 오기 전에 할 일을 해 놓지 않으면 어디를 맞을지 몰랐다. 마음이 조급해졌다. 하마엉덩이가 쭈뼛거리며 말을 꺼냈다.

"넌 이름이 뭐야?"

"구영유, 너는?"

"나는 류현재라고 해. 날 도와준 사람 이름은 알아야 할 것 같아서. 아무튼 이제 갈게."

"알았으니까 빨리 가."

난 그렇게 말하고 바로 돌아섰다. 반쯤 먹다 남은 요거트가 덩그러니 놓여 있었다. 나는 요거트를 입 안으로 단숨에 털어 넣고 설거지를 시작했다.

고지서

"오늘은 현재라는 애, 안 와?"

"응. 학원 가는 날이래."

"너네 사귀냐? 일정까지 다 알고."

"그건 나도 어제 알았어."

나는 비닐을 뜯어내고 군만두를 집어 한입에 먹었다. 이번 군만두는 유난히 바삭바삭했다. 형이 또 물었다.

"현재랑은 뭐 하고 놀아? 형처럼 신발장 앞에서 얘기만 해?"

"아니. 문은 안 열어 줬어."

"뭐? 그럼 어떻게 대화해?"

"가까이에 있으면 다 들려."

새총 사건 다음다음 날, 그러니까 오후 4시쯤이었다.

초인종이 울렸다. 배달 형이 빨리 왔나 싶어서 작은 구멍으로 밖을 내다봤다. 배달 형이 아니라 현재가 서 있었다. 나는 왜 왔냐고 물어보려다가 말았다. 현재가 먼저 말을 꺼내면 대답하려고 했다. 그런데 현재는 초인종을 한 번 더 누르고는 그대로 서 있었다. 나중엔 가방을 내려놓고 앉아서 핸드폰을 들여다봤다. 그렇게 10분쯤 있다가 가 버렸다. 그대로 못 보는 줄 알았는데 다음 주 월요일에 현재가 또 왔다. 나는 보자마자 "왜 왔어!"라고 쏘아붙였다. 그 자식이 여기까지 와서 말 한마디 안 하고 가 버린 게 주말 내내 마음에 걸렸다.

내 대답에 현재는 눈을 크게 뜨며 "영유 맞아?"라고 되물었다. 형 말고 다른 사람에게서 내 이름을 듣기가 정말 오랜만이었다. 그날 우리는 몇 마디를 주고받았다. 그날의 대화는 또렷이 기억났다. "뭐 해?", "그냥 있어.", "그렇구나." (그리고 한참 있다가) "갈게."가 전부였기 때문이다.

어제 오후에는 현재가 찾아와서 자기가 화요일과 목요일엔 학교가 끝나고 곧장 학원을 간다고 말했다. 우리는 월요일보다 좀 더 많은 얘기를 나눴다. 나는 문을 열까 잠시 고민했지만 문손잡이를 잡을 때마다 엄마 얼굴이 떠올랐다. 요즘 엄마는 툭하면 화를 냈다. 며칠 전에 집주인 아줌마와 고지서를 들고 월세 얘기를 한 다음부터 그랬다.

나는 군만두를 집어삼켰다. 따뜻한 만두 속이 입 안 가득 밀려들었다. 정신없이 군만두를 먹는데 허벅지에서 따뜻한 온기가 느껴졌다. 형이 내 허벅지에 퍼렇게 멍 든 곳을 조심스럽게 매만졌다.

"너 여기 왜 그래?"

"넘어졌어."

거짓말은 아니었다. 엊그제 엄마가 거실에서 나를 밀쳤는데 냉장고와 싱크대 사이에 세워 둔 상에 허벅지가 찍혔다. 형은 내가 멍이 들어 있는 걸 못마땅해했다. 이번에도 나한테 짜증 섞인 투로 말했다.

"야! 너는 어떻게 된 게 맨날 볼 때마다 멍 들어 있냐? 평소에 좀 조심하란 말이야. 머리는 또 언제 감았어?"

그때 핸드폰 진동이 울렸다. 형은 바지 주머니에서 핸드폰을 꺼냈다. 그러더니 핸드폰 화면을 보자마자 급히 철가방을 챙겼다. 군만두를 다 먹어 텅 빈 스티로폼 접시를 형이 철가방 안으로 던져 넣으며 말했다.

"야, 나 지금 간다. 이 시간에 무슨 단체 주문을 하고 지랄이야."

나는 형 얼굴 대신 신발을 쳐다봤다. 형이 예상보다 빨리 떠나 버리면 더 쓸쓸해졌다. 형이 일어나서 내 얼굴을 보더니 한숨을 쉬었다.

"그러니까, 네 몸 좀 네가 알아서 잘 챙기란 말이야. 알았지? 나 간다!"

형은 대답도 듣지 않고 나가 버렸다.

나는 발을 쿵쿵 구르며 거실로 들어와 싱크대 앞에 섰다. 어제저녁에 쓴 그릇들부터 오늘 아침에 쓴 그릇들까지 전부 쌓여 있었다. 행주를 들어 세제를 묻히고 그릇을 박박 닦았다. 배달 형이 일찍 가 버릴 때마다 속상했다. 그게 형이 잔소리를 하는 것보다 훨씬 싫었다. 형은 현재처럼 언제 올지 알 수 없었다. 형이 보고 싶어지면 나는 맞을 각오를 하고 일부러 짜장면을 시켜 먹자고 엄마를 졸랐다.

고개를 들어 창문을 내다봤다. 놀이터 너머로 오토바이가 멀어지고 있었다. 저쪽으로 배달 형도 현재도 사라졌다. 그냥 갈 길을 간 건데도 내 눈에서 보이지 않으니까 사라졌다는 느낌이 들었다. 나는 놀이터에 덩그러니 놓여 있는 빨간 그네로 눈을 돌렸다. 그네는 미동도 없었다. 누가 올라타기 전에는 그 자리에 멈춰 있기만 할 것이다. 나처럼.

거기까지 생각이 들자 그네를 마구 흔들어 버리고 싶었다. 그네가 끼익하며 움직이는 걸 보면 좀 후련해질 것 같았다. 높이, 더 높이 올라가서 빨간 그네와 함께 하늘을 날아다니는 상상을 했다. 그나마 속이 후련해졌다.

형이 사라진 지점에서 익숙하고 불안한 그림자가 나타났다. 엄마였다. 엄마는 간신히 걷는 사람처럼 비틀거리면서 집으로 오고 있었다. 심장이 내려앉는 듯했다. 나는 그릇에 말라붙은 찌꺼기를 대충 닦아 내고 물을 세게 틀어 거품을 빨리 씻어 냈다. 물이 사방으로 튀어서 소매로 물기를 닦았다. 설거지를 끝내고 방으로 들어갔다. 이불은 개어 놓은 그대로였다. 가만 보니 한쪽 모서리가 삐져나와 있었다. 나는 이불을 도로 펴서 반듯하게 개켰다. 거실로 나와 시계를 보니 오후 5시가 조금 넘었다. 엄마는 6시 전에는 절대 들어오지 않았다. 그 전에는 회사에서 결코 보내 주지 않는다고 했다. 그래서 더 불안했다.

평일에 엄마가 일찍 온 날이 두 번 있었다. 한번은 엄마가 회사도 안 나간 채 고지서를 들고 구청에 갔다가 돌아온 날이었다. 나는 고지서가 뭔지 몰랐는데 엄마가 술에 취해 혼자 중얼거리는 말을 듣다가 그게 돈을 내라고 재촉하는 편지라는 걸 알았다. 엄마는 혼자 방문을 닫고 죽었는지 살았는지도 모르는 남편 때문에 지원도 못 받는다면서 대성통곡했다.

또 한번은 회사에서 잘린 날이었다. 그날 엄마는 술을 아주 많이 마시고 조금 일찍 들어왔다. 그리고 왜인지 기억나지 않지만 나는 엄마에게 엄청나게 두들겨 맞았다. 나중엔 엄마랑 나랑 둘 다 펑펑 울었다. 나는 맞은 데가 아파서 울었는데 엄마는 왜 울었는지 모르겠다.

엄마는 일주일 만에 다시 직장을 구했다. 일자리 지원센터에서 찾아 준 곳이라며 청소하는 일도 아니고 갑자기 쫓겨나지도 않을 거라고 좋아했다. 그 회사를 다닌 지 두 달 만에 엄마가 일찍 집으로 들어오고 있었다.

심장이 빠르게 뛰기 시작했다. 창문으로 엄마가 어디까지 왔는지 봤다. 엄마는 보이지 않았다. 비밀번호 누르는 소리가 천천히 들렸다. 비밀번호를 틀렸는지 엄마는 세 번이나 비밀번호를 반복해서 눌렀다. 나는 엄마가 이대로 비밀번호를 영영 까먹었으면 좋겠다고 생각했다.

하지만 문이 열리고 말았다.

엄마가 들어왔다. 손에는 길고 흰 봉투가 들려 있었다. 엄마는 들어오자마자 신발장에 몸을 비스듬히 기댔다.

봉투를 쥐지 않은 손을 이마에 갖다 댔다. 나는 어항 옆에 바짝 붙어 서서 엄마를 쳐다봤다. 엄마는 한참 그러고 있다가 까만 가방을 바닥에 내려놓고 구두를 벗었다. 나는 어항 옆에 더 바짝 붙어 섰다.

"엄마, 왜 일찍 왔어?"

"내가 일찍 와서 불만이야?"

엄마의 목소리가 날카로웠다. 눈매가 너무 매서웠다. 나는 벌받는 사람처럼 벽에 붙었다. 그러다 한쪽 발을 잘못 디뎌 어항을 밀쳤다. 어항이 옆으로 조금 밀려나면서 물이 위태롭게 넘실거렸다.

엄마는 거실에 들어서자마자 냉장고부터 열었다. 소주를 꺼낸 다음 다른 손으로 바닥에 팽개쳐진 가방을 도로 잡으면서 주저앉았다. 그런 채로 잠시 고개를 수그렸다. 엄마는 봉투에 들은 편지를 꺼내 펼쳐 보고는 그 자리에서 찢어 버렸다. 종잇조각이 팔랑거리면서 바닥에 떨어졌다. 엄마는 냉장고 손잡이를 잡고 겨우 일어났다. 얼굴은 창백했지만 눈과 코끝이 붉었고 눈가는 반짝거렸다. 엄마는 비틀거리며 방으로 들어갔다. 손에 든 소주를 다 마셨는지 엄마에게서 역한 알코올 냄새가 풍겼다.

나는 그대로 거실 벽에 등을 기댔다. 엉덩이를 벽 끝에 바싹 붙여 앉고 양 무릎을 끌어안았다. 옆구리에 차가운 플라스틱 어항이 닿았다.

엄마가 볼륨을 키웠는지 텔레비전 소리가 거실까지 생생하게 들렸다. 나는 자리에서 꼼짝도 하고 싶지 않았다. 엄마 곁으로 가면 그날처럼 끔찍한 저녁이 펼쳐질 것 같았다. 엄마가 찢어 버린 종이는 고지서가 분명했다. 고지서는 엄마를 열받게 했다. 열받은 엄마는 헐크 같았다. 아무거나 집히는 대로 때려 부쉈다. 처음에는 엄마가 울면 슬펐는데 나중에는 엄마가 울어도 아무렇지 않았다. 맞는 게 끝났다는 생각만 들었다.

나는 어항을 바라봤다. 스핀이 어항 안을 빙빙 돌고 있었다. 바닥은 어항 물로 흥건했다. 나는 어항 끄트머리에 손을 댔다. 이렇게 하면 내 마음이 스핀에게 전달될 것 같았다. 난 속으로 얘기했다.

'스핀, 엄마에게 가야 할까?'

스핀은 대꾸가 없었다. 단지 조그마한 지느러미를 움직이며 나를 바라봤다. 나는 손이 덜덜 떨렸다. 자꾸만 예전 기억이 떠올랐다. 엄마는 직장을 잃은 날, 내 배를 발로 걷어찼는데 순간 숨이 쉬어지지 않았다. 이대로 죽는 게 아닐까 싶을 즈음 엄마가 내 뺨을 두드렸다.

‘하지만 맞기 싫어. 내가 왜 맞아야 해? 오늘 잘못한 것도 없는데. 엄마가 시키는 대로 설거지도 다 했고, 방도 닦고, 이불도 제대로 갰어.’

스핀은 어항 바닥으로 내려가 내가 손을 맞댄 곳에 자기 입을 댔다. 그걸 보니 눈물이 핑 돌았다. 나는 고개를 들어 방을 쳐다봤다. 엄마는 벽에 기대고 있는지 보이지 않았다. 불 꺼진 방에서 텔레비전 화면만이 반짝였다. 거실에는 스핀과 내가 함께 있고, 방 안에는 엄마가 혼자 있었다. 나는 그 자리에서 움직이지 않았다. 엄마가 이대로 잠들기만 바랐다. 그러면 오늘 저녁은 무사히 넘어갈 수도 있었다. 그런 적은 없었지만 말이다.

난데없이 초인종이 울렸다. 나는 앉은 자리에서 엄마를 불렀다. 몇 번을 불러도 엄마는 대꾸가 없었다. 문 너머로 집주인 아줌마가 고함을 쳤다. 엄마가 벌떡 일어나더니 비척거리며 현관문으로 가서 문을 열었다. 집주인 아줌마가 양손을 허리에 짚고 서 있었다.

“텔레비전 소리 좀 줄여. 이 빌라에 당신만 살아? 어휴, 이게 무슨 술 냄새람.”

“죄송합니다. 집세는 금방 낼게요.”

엄마가 한 손으로 벽을 짚고 혀 꼬부라지는 말투로 집

주인 아줌마에게 고개를 조아리며 사과했다. 집주인 아줌마가 말했다.

"애 아빠도 연락이 끊겼다니까 내가 사정이 딱해서 봐준 거야. 그런데도 이렇게 안 내면 나도 곤란해, 알지?"

"그럼요. 정말 죄송합니다. 죄송해요."

"불쌍해서 베풀어 줬으면 은혜를 갚을 줄 알아야지. 술이나 먹고 있으면 돈은 언제 벌어? 설마 청소할 때도 술 먹고 하는 건 아니지?"

집주인 아줌마가 눈으로 우리 집 안을 훑어보더니 혀를 찼다. 그러고는 계단으로 올라갔다. 엄마는 아줌마가 계단 위로 사라질 때까지 "죄송합니다."라고 말하면서 연거푸 인사했다. 문을 닫고 들어온 엄마가 목이 잠긴 채로 말했다.

"가서 텔레비전 소리 줄여."

나는 벌떡 일어나 방으로 뛰어 들어갔다. 곧장 텔레비전을 끄고 거실로 나왔다. 엄마는 방에 소주가 남았는데도 냉장고에서 또 술이 조금 남은 소주병을 꺼내고 있었다. 엄마가 나를 보더니 물었다.

"뭘 그렇게 쳐다봐? 너도 내가 그렇게 딱하니?"

"아니야. 나 그렇게 생각한 적 없어."

"아니긴 뭐가 아냐. 왜들 그렇게 나한테만 지랄인지 몰라. 난 살려고 한 건데."

엄마는 병째로 술을 들이켜 남은 술을 입 안에 털어 넣었다. 그러고는 빈 소주병을 가볍게 흔들면서 안을 들여다보더니 갑자기 소주병을 던졌다. 나는 서둘러 뒤로 물러났지만 소주병이 발등으로 떨어졌다.

"아악!"

발등을 꽉 부여잡았다. 내 옆으로 소주병이 데굴데굴 굴러갔다. 엄마가 말했다.

"화장실에 소주 박스 있어. 가서 한 병 더 가져와."

"싫어. 엄마, 술 마시지 마!"

나는 그 말을 내가 하고서도 놀랐다. 매번 엄마를 볼 때마다 속으로만 하던 말이었는데 처음으로 내뱉었다. 엄마는 코웃음을 쳤다.

"너도 내가 우습니? 하긴 그러니까 나라에서 지원한다는 센터에서도 날 폐쇄 직전의 공장으로 보냈겠지."

엄마가 피식피식 웃으며 몸을 일으켰다. 어둠 속에서 보니 하도 말라서 뼈다귀가 움직이는 것처럼 보였다. 엄마의 웃음소리가 슬프면서도 소름 끼쳤다. 하지만 난 용기를 내어 외쳤다.

"아무튼 오늘 술 마시지 마!"

엄마가 나를 째려봤다. 나는 뒷걸음질해서 싱크대에 몸을 바싹 붙였다. 엄마가 다가와 내 머리채를 잡았다. 나는 아프다고 소리쳤지만 엄마는 내 머리를 흔들며 말했다.

"네가 뭔데? 네가 뭔데 너까지 나한테 이래라저래라 하냐고!"

발등이 쓰라려서 엄마에게서 도망칠 수가 없었다. 엄마가 한마디씩 할 때마다 내 머리를 냉장고에 박았다.

"너 때문에! 너만 아니었어도! 내가 누구 때문에 이러고 사는데!"

엄마가 내 머리를 놔 버렸다. 나는 그대로 바닥에 나동그라졌다. 머리가 더 아픈지 발등이 더 아픈지 가늠이 되지 않았다. 나는 온몸을 웅크리고 무릎을 끌어안은 채 빨리 끝나라는 말만 속으로 되뇌었다.

어느새 엄마 숨소리만 들려 간신히 눈을 떴다. 엄마가 제대로 보이지 않았다. 내 눈에서 계속 눈물이 흘렀고 방이 어두워서 시야가 흐릿했다. 엄마 손에 들려 있는 초록색 물체가 반짝였다. 엄마가 울부짖었다.

"네가 뭘 알아! 어떻게든 버텨도 제자리인 걸 네가 아냐고!"

반짝이는 초록색 물체가 공중에서 순식간에 코앞으로 떨어졌다. 나는 있는 힘을 다해 두 눈을 꼭 감았다.

핫도그

바닥은 물기가 말라서 뽀송뽀송했다. 리모컨은 텔레비전 밑에 얌전히 놓여 있었다. 엄마가 마셨던, 빈 소주병은 분리수거 통에 진작 갖다 버렸다. 내가 보기에 방은 완벽해 보였다. 이제 좀 안심이 되었다. 안방 문을 닫고 거실을 훑어봤다. 거실에도 티끌 하나 밟히지 않았다. 그럴 만했다. 일어나자마자 두 번이나 방과 거실을 쓸고 닦았다. 싱크대엔 물방울이 말라 드문드문 허연 자국만 남았다. 어제 엄마가 온 뒤로 먹은 게 없으니 설거지할 그릇도 없었다. 아침만 해도 온몸이 욱신거려서 움직일 수 없었는데 1시 넘어서까지 누워 있으니 조금 나아졌다. 나는 일어나자마자 청소부터 해 놨다.

시계를 봤다. 오후 3시가 넘었다. 나는 마음을 단단히

먹었다. 오늘 현재가 오면 앞으로 오지 말라고 얘기할 작정이었다. 당분간 엄마가 언제 집으로 돌아올지 몰랐다. 일을 구하는 동안엔 집에 오는 시간이 일정하지 않았다. 어느 날은 캄캄한 밤이 되어서야 돌아왔고, 또 어느 날은 한낮에 집으로 왔다.

오늘 새벽에 엄마가 나를 흔들어 깨우더니 무어라고 말했다. 나는 잠에서 덜 깼지만 세 마디 정도 정확히 들었다. '엄마가 일을 구하러 간다.', '아마 6시가 넘을 거다.', '너무 늦지 않겠다.'였다. 문이 열리는 소리를 듣자마자 곧장 다시 잠에 빠져들었다. 다시 눈을 떴을 땐 집 안에 나뿐이었다. 엄마가 덮어 준 이불이 내 몸을 감싸고 있었다. 갑자기 짜증이 나서 나는 이불을 마구 걷어찼다.

진이 빠진 나는 어항 옆에 드러누웠다. 그런데 어항이 뭔가 비어 있는 느낌이었다. 스핀이 보이지 않았다. 나는 자리에서 벌떡 일어났다.

"스핀!"

나는 누웠던 자리를 살피고 발밑을 확인했다. 청소하는 사이에 스핀이 어항 밖으로 튀어 나간 것 같았다. 물 밖에 너무 오래 나와 있었을까 봐 심장이 쿵쿵 뛰었다. 어항을 번쩍 들어 주변을 살폈다. 어항 가까이의 바닥에서 스핀이 멍하니 눈을 뜬 채 팔딱거리고 있었다. 나는 두 손으로 스핀을 조심스럽게 들어 올려 재빨리 어항 속으로 집어넣었다. 물속으로 들어간 스핀이 처음에는 잠잠하다가 어느 순간 세차게 움직였다. 그걸 보자 긴장이 풀려서 온몸이 고무장갑처럼 축 늘어졌다.

"스핀, 너도 답답해?"

스핀은 계속 제자리를 빠르게 돌기만 했다. 나는 싱크대 밑 서랍장에서 널따란 플라스틱 그릇을 꺼내 스핀의 어항 천장에 비스듬히 올려놓았다. 그때 누군가 문을 두들겼다. 문 앞으로 다가가서 작은 구멍으로 들여다보니 현재가 입가에 살짝 미소를 지은 채 서 있었다.

현재에게 스핀이 죽을 뻔했다는 얘기를 털어놓고 싶었다. 하지만 나는 다짐을 되새겼다. 그 얘기는 언젠가 배달 형에게 해도 됐다. 우선은 이곳으로 오지 못하게 현재를 쫓아내야 했다. 현재가 먼저 말을 꺼냈다.

"오늘도 문 안 열어 줄 거야?"

"응."

그리고 우리 집에 오지 마, 라고 했어야 했다. 하지만 차마 입이 떨어지지 않았다. 막상 현재랑 마지막이라는 생각이 드니 허전해졌다. 현재는 낮은 소리로 중얼거렸다. 한참 무어라 하더니 마지막 말에 힘을 줬다.

"……거 있는데."

"뭐라고?"

"줄 거 있다고."

현재에게서 뭔가를 받을 거라 생각해 본 적이 없었다. 나는 눈을 구멍 앞으로 바싹 들이밀었다. 현재가 잔뜩 내민 입술을 씰룩거렸다. 양손에는 핫도그가 하나씩 들려 있었다. 현재 손만큼이나 통통한 핫도그엔 군데군데 네모난 감자튀김이 박혀 있었다. 하나는 한 입 베어 문 자국이 선명했고, 하나는 건드리지도 않은 새것이었다.

현재가 입 안에 핫도그를 가득 물었다. 그 큰 핫도그가 절반밖에 남지 않았다. 현재 입가에 묻은 빨간 케첩이 오물거리는 입술을 따라 움직였다. 그걸 보니 배 속이 요동쳤다. 나는 문손잡이를 잡았다. 이 문을 열면 왠지 현재에게 오지 말란 얘기를 못할 것 같았다. 하지만 너무나 배가 고팠다. 냉장고에는 식은 밥도 없었고, 김치만 봉지째 들어 있었다. 나는 다시 문을 봤다. 손잡이 위에 현관문 걸쇠가 달려 있었다. 나는 걸쇠를 먼저 걸어 잠갔다. 그리고 문을 열었다. 이러면 아무리 세게 열어도 한 뼘밖에 열리지 않았다.

고소한 핫도그 냄새와 새콤한 케첩 냄새가 코로 들어왔다. 나는 문틈 사이로 손을 뻗었다. 현재는 핫도그를 먹느라 말하지 못했다. 하지만 표정을 보니 무슨 얘기를 하고 싶은지 알 것 같았다. 현재의 눈은 퍼렇게 멍 든 내 손가락에서 얼굴로 옮겨 갔다.

"너 얼굴이 왜 그래?"

나는 얼굴 아래쪽을 어루만졌다. 현재는 자기가 아프다는 듯 얼굴을 찌푸렸다. 턱 주변이 유난히 쓰라리고 아팠다. 입술은 터져서 부풀어 올랐다. 어제 엄마가 던진 소주병은 내 턱에 먼저 부딪히고 바닥으로 떨어졌다. 병이 깨지지 않아 그나마 다행이었다. 병까지 깨졌더라면 오늘 아침 유리 조각을 치우는 데 애먹었을 것이다. 현재가 말했다.

"더 열어 봐. 좁아서 이 틈으로는 못 집어넣는단 말이야."

나는 문틈을 좁혀 걸쇠를 풀고는 다시 문을 열었다. 현재가 여전히 입을 우물거리면서 핫도그를 내밀었다. 현재 손엔 새 핫도그에서 흘러내린 케첩이 묻어 있었다. 나는 핫도그를 받아 입 안 가득 넣었다. 고소한 빵과 감자튀김이 입 안에서 뭉그러지고, 소시지 덩어리가 입 속을 굴러다녔다. 따끈따끈하고 기름진 음식이 속을 데워 주니 몸이 녹는 듯했다. 땀이 배고 콧물이 흐르고 눈물까지 났다. 나는 핫도그를 먹다 말고 소매로 땀과 콧물과 눈물을 몇 번이나 훔쳐 냈지만 나중에는 딸꾹질까지 하면서 울었다. 그 와중에 부스러기도 흘리지 않으려고 꼭꼭 씹어 먹었다. 눈물 흘리랴 핫도그 먹으랴 정신이 없었다.

내 앞에는 앞으로 못 볼 것 같은 현재가 있고, 뒤에는 죽을 뻔했던 스핀이 어항 속에서 돌아다녔다. 나는 그 가운데에 서 있었다. 지금 이 순간만큼은 안전하다는 느낌이 들었다.

나는 겉면의 빵과 감자튀김부터 먹고 난 다음에 꼬치를 빼서 소시지를 한입에 넣었다. 그제야 딸꾹질이 멈췄다. 현재는 반쯤 남은 핫도그를 먹지도 않고 줄곧 나를 바라보면서 입술에 침을 발랐다. 내가 다 먹은 것을 확인하자 현재가 물었다.

"그네 타러 갈래?"

"뭐? 안 돼. 엄마가 나가지 말랬어."

"치, 그럼 그때는 어떻게 나왔어? 한 번 나왔으면 두 번도 나올 수 있지. 10분만 타자."

10분이라는 말에 마음이 흔들렸다. 몸이 따뜻해지니

마음속에 가득했던 무서움이 조금 사라졌다. 괜히 화도 났다. 나는 엄마를 무시해서 술을 마시지 말라고 했던 게 아니었다. 하지만 엄마는 자기 얘기만 하고 내 말을 듣지도 않았다. 거기다가 10분 안에 엄마가 올 확률은 극히 낮았다.

"잠깐 기다려."

나는 현재에게 대답하고 화장실로 들어가 빈 페트병을 가져왔다. 페트병 중간을 발로 눌러 납작하게 만들었다. 현관문을 열고 문 아래에 납작해진 페트병을 끼웠다.

나는 뒤뚱거리며 걷는 현재를 따라 빌라 밖으로 나왔다. 바깥은 언제나 시원했다. 빨간 그네가 바람에 흔들렸다. 그네에 다다르자 나는 현재를 다시 쳐다봤다. 현재는 반 남은 핫도그를 모조리 입 안에 넣고선 꼬챙이로 그네를 가리켰다.

"여이 아아, 해워우게."

"뭐?"

현재는 힘겹게 핫도그를 삼키고서 또박또박 말했다.

"여기 앉으라고, 태워 줄게."

나는 빨간 그네에 앉아 쇠줄을 꼭 잡았다. 현재가 줄을 잡고 뒤로 물러났다가 손을 놓았다. 그네가 포물선을 그리며 앞으로 나아갔다. 선선한 공기가 콧속으로 들어왔다. 눈을 감고 다리를 뻗었다. 뒤에서 현재가 물었다.

"그네가 그렇게 좋아?"

"응."

그네 타기는 언제나 재밌었다. 여기서 조금이나마 벗어나는 기분이 들었다. 나는 늘 우리 집에서 보이지 않는 쇠사슬을 차고 있는 느낌이었다. 집에 있을 때도 괜히 축축 처지고 나와서도 발걸음이 무거웠다. 그러나 그네를 타면 달랐다. 몸이 깃털처럼 가벼워지고 마음이 후련해졌다. 특히나 그네에서 멀리 뛰어내릴 때는 잠시 내가 새가 되어 날아가는 것 같았다. 생각난 김에 나는 한 번 더 해 보고 싶었다.

"그때 날아오른 거 또 보여 줄까?"

"아, 그거? 그래. 신기하긴 하더라."

현재가 뒷걸음질하는 소리가 들렸다. 나는 흔들리는 그네를 잠시 멈춘 다음 그네 위로 올라섰다. 그네 양쪽에 발을 끼우고 앞뒤로 몸에 반동을 주었다. 뒤에서 슬며시 현재가 그네를 밀어 주었다. 그래서인지 이번엔 세 번 만에 높이 올라갔다. 나는 숨을 고른 다음 그네를 박차고 뛰어올랐다. 양팔은 쫙 벌렸다. 시원한 바람을 맞으며 땅에 떨어졌다. 현재가 "오!" 하며 박수 쳤다. 이렇게 높이 뛰기를 하고 나면 언제나 조금 아쉬운 마음이 들었다. 조금이라도 더 오래 머물 수 있다면 얼마나 좋을까.

반팔을 입어서인지 닭살이 돋았다. 하지만 그네 타기를 멈추고 싶지 않았다. 앞으로 언제 또 그네를 탈지 몰랐다. 나는 다시 그네에 앉아서 발로 그네를 밀었다. 현재가 다시 뒤에서 그네를 밀어 주며 말했다.

"근데 어쩌다 다친 거야?"

나는 대답하고 싶지 않았다. 이가 자꾸 떨려 말이 제대로 나오지 않았다. 내가 춥다는 사실을 들키면 현재가 그네를 밀어 주지 않을지도 몰랐다. 대답하지 않았더니 현재가 다시 말했다.

"아니야, 말 안 해도 돼. 나도 자주 다쳤어. 집에서도 그렇고 그때 걔네한테도……. 근데 아픈 것보다도 되게 서럽더라고. 내가 뭘 잘못했나 싶고."

현재는 말을 잇지 못했다. 나는 살짝 고개를 돌렸다. 하얀 와이셔츠에 회색 조끼를 입은 현재는 눈에 초점이 없었다. 나처럼 추워서인지 아니면 생각에 잠긴 건지 알 수 없었다. 현재는 말없이 내 등을 밀어 주었다. 나는 입술을 꽉 깨물었다. 몸이 달달 떨렸다. 하지만 엄마에게 맞은 기억과 오늘 아침 날 덮고 있던 이불에 화가 났던 기억만은 현재가 등을 밀어 줄 때마다 눈처럼 녹아내렸다. 갑자기 현재가 그넷줄을 잡았다. 나는 놀라서 뒤를 돌아봤다. 현재가 살짝 웃으며 말을 꺼냈다.

"우리 재밌는 거 타러 갈래?"

미니

현재가 눈웃음을 짓자 작은 눈이 눈썹처럼 가늘어졌다. 내가 빤히 쳐다보자 현재가 말을 이었다.

"너 미니 바이킹 타 본 적 있어?"

나는 고개를 저었다. 바이킹은 텔레비전에서 몇 번 본 적이 있었다. 미니 바이킹은 이사 오기 전에 시장에서 직접 봤다. 타고 싶어서 다가갔는데 아저씨가 돈을 내라고 했다. 내 주머니엔 천 원도 없었다. 나는 멀찍이서 바이킹 타는 애들을 구경만 하다 집으로 갔다. 그때가 기억나서 대답했다.

"나 돈 없어."

"내가 낼게. 요즘 미니 바이킹은 별로 안 비싸."

나는 그넷줄을 꼭 붙들었다. 엄마가 없는 날 몰래 나와 그네를 타는 것도 엄청난 일인데 여기서 더 나가다니, 심장이 두근거렸다. 이곳에 이사 온 뒤로 3년 동안 한 번도 놀이터 밖으로 벗어난 적이 없었다. 분리수거하는 곳도 놀이터 옆에 붙어 있었다. 나는 고개를 저었다.

"안 돼. 너무 오래 걸려."

"바이킹까지 걸어서 5분도 안 돼. 바이킹 타는 것도 한 10분밖에 안 걸릴걸? 아저씨가 오늘까지만 한대."

"그럼 내일은 어디 가는데?"

"아저씨가 애들한테 하는 얘기 들었는데 여긴 별로 장사가 안 돼서 다른 동네로 간댔어. 어쨌든 내일이면 그 미니 바이킹 타고 싶어도 못 타."

미니 바이킹이 여기서 5분 거리에 있든 50분 거리에 있든 상관없었다. 놀이터 너머는 내가 갈 수 없는 곳이었다. 하지만 현재가 마지막에 한 말이 마음에 걸렸다. 미니 바이킹을 타려면 오늘밖에 시간이 없다는 얘기 말이다. 나는 그네에 앉아 현재를 올려다봤다. 내가 빤히 쳐다보자 현재가 고개를 살짝 옆으로 돌리며 말했다.

"같이 좀 가면 안 되냐? 진짜 타고 싶은데. 나도 여기 거는 한 번도 안 타 봤어."

"왜?"

"혼자 타면 뻘쭘하잖아."

현재가 기어드는 목소리로 대답하며 한쪽 발로 바닥을 찼다. 현재 입이 불퉁 나와서 입술이 바닥으로 떨어질 것만 같았다.

무서운 엄마 얼굴이 떠올랐다. 원래는 밖에 나오면 안 됐다. 더구나 놀이터 너머로 나가는 일은 상상도 할 수 없었다. 그렇지만 현재랑 같이 있으니까 해 본 적이 없는 일들만 벌어졌다. 생각지도 않게 핫도그를 먹고, 대낮에 그네도 탔다. 걱정했던 일들도 일어나지 않았다. 엄마에게 들켰다거나 팔뚝 아저씨들을 마주치지도 않았다. 마치 하루 종일 집 안에 있었던 것처럼 하루가 조용히 지나갔다. 나는 우리 집 빌라로 눈을 돌렸다. 저 안에선 스핀이 집을 지키고 있었다. 천장을 막았으니 어항 밖으로 또다시 빠져나올 수 없었다. 내가 없는 동안에도 스핀은 안전했다. 나는 현재에게 재차 물었다.

"진짜 5분 걸려?"

"당연하지. 여기서 뛰면 3분도 안 걸려."

현재가 씩 웃으며 말했다. 나는 슬그머니 자리에서 일어났다. 스핀이 잘 있는지 보고 싶었지만 집 안으로 들어가면 다시 나오지 못할 것 같았다. 현재는 고갯짓을 하며 놀이터 너머 골목을 향해 빨리 걸었다. 나는 현재 뒤를 따라갔다. 스무 걸음쯤 걷자 놀이터 끝에 섰다. 현재는 아무렇지도 않게 놀이터를 빠져나갔다.

나는 그 앞에 마치 기나긴 울타리라도 세워져 있는 것처럼 잠시 주춤했다. 심장이 쿵쾅거리는 이유가 미니 바이킹을 타러 가서인지 아니면 놀이터 밖으로 벗어나서인지 알 수 없었다.

나는 크게 한 걸음 떼어 놀이터 밖의 아스팔트에 발을 디뎠다. 그러고는 뛰어가서 현재를 따라잡았다. 내가 달려가자 걸어가던 현재도 웃으면서 달렸다. 현재 등에 매달린 책가방이 양옆으로 흔들거렸다. 나는 놀이터가 내 뒤를 쫓아올 것처럼 뒤도 돌아보지 않고 뛰었다.

양쪽으로 빌라들이 늘어선 골목에는 나와 현재의 발소리만이 울려 퍼졌다. 골목 끝에서 현재가 오른쪽으로 몸을 틀었다. 골목을 빠져나오자마자 눈앞에 하얀 트럭과 그 위에 실린 미니 바이킹이 보였다. 현재가 숨을 몰아쉬며 걸음을 늦췄다.

"내가 금방이랬지?"

나는 숨이 턱까지 차올라서 대답 대신 고개를 끄덕였다. 온통 파란색으로 칠해진 미니 바이킹에는 노란 오리 얼굴이 양 끝에 하나씩 달려 있었다. 배 테두리를 감싸고 있는 빨간불이 반짝거렸다. 바이킹 앞에 있는 푯말이 눈에 띄었다. 초등 3천 원, 중·고등 4천 원, 성인 5천 원이라는 문구가 적혀 있었다. 그 옆에 야구 모자를 눌러쓴 아저씨가 비뚜름하게 서서 핸드폰을 들여다봤다. 아저씨는 나와 현재가 다가가자 아는 체를 했다.

"동생 데리고 왔나 보구나. 형이 기특하네."

그러면서 현재 어깨를 툭툭 두드렸다. 나와 현재는 서로를 쳐다봤다. 현재가 아저씨에게 대답했다.

"우리 동갑인데요."

"그래? 한 초등학교 4학년 되는 줄 알았네. 뭐, 아무튼 중학생이면 4천 원이다."

아저씨가 손을 내밀었다. 현재는 가방 뒷주머니에 손을 집어넣어 돈을 꺼내 아저씨에게 건넸다. 아저씨가 지폐를 세어 보고는 앞에 매고 있는 까만색 가방에 집어넣고 문을 열었다. 현재가 먼저 올라타고 나는 현재 뒤를 따랐다. 안으로 들어서자 파란색 의자들이 두 줄씩 총 여덟 개가 놓여 있었다. 나는 그중에서 가장 가운데 앉았다. 그러자 현재가 나를 부추겼다.

"여기 앉게? 그러지 말고 뒤로 가자. 맨 뒤가 제일 재

있어."

"왜?"

"타 보면 알아. 거기가 제일 높게 올라가거든."

높게 올라간다는 말에 나는 벌떡 일어나 제일 끝자리로 옮겼다. 좁은 자리에 나랑 현재가 같이 앉으니까 의자가 꽉 끼었다. 나는 앞에 놓인 쇠 봉으로 팔을 뻗었다. 트럭 아저씨가 우리를 보고는 버튼을 눌렀다. 바이킹이 기계음을 내면서 움직이기 시작했다. 현재가 발을 동동 굴렀다. 나는 설레지만 떨리기도 해서 봉을 꽉 잡았다.

바이킹은 처음 한두 번은 조금만 움직이더니 몇 번 만에 위로 쑥 올라갔다가 내려갔다. 바이킹이 위에서 떨어질 때마다 벼랑에서 떨어지는 기분이 들었다.

"으으!"

나는 고개를 푹 숙이고 팔에 힘을 꽉 주었다. 옆에서 현재가 물었다.

"무섭냐?"

나는 이빨을 꽉 깨물고 있었기 때문에 대답하지 못했다. 가까스로 옆을 돌아봤는데 현재는 두 팔을 위로 올린 채 헤벌쭉 웃고 있었다. 현재가 말했다.

"그렇게 힘주니까 무섭지. 이건 힘 빼야 재미있단 말이야. 힘 좀 빼!”

어떻게 힘을 빼야 무섭지 않느냐고 되묻고 싶었지만 말이 나오지 않았다. 나는 내려갈 때는 눈을 감고 있다가, 다시 바이킹이 위로 치솟을 때 눈을 뜨고 바깥을 내다봤다. 금방 아래로 내려가서 제대로 보지 못했지만 아주 잠깐 파란 도화지 같은 하늘이 시야에 가득 찼다. 방금 봤던 걸 다시 제대로 보고 싶어졌다. 눈을 감고 예전에 텔레비전에서 봤던 명상법을 떠올렸다. 숨을 천천히 들이마시고 온몸의 힘을 빼낸다는 느낌으로 내쉬었다. 눈을 감은 채로 가만히 있으니 떨림이 잦아들었다.

나는 쇠 봉에서 천천히 손을 떼고 눈을 떴다. 바이킹이 요란한 소리를 내며 움직였고, 옆에서 현재는 바이킹이 내려갈 때마다 작게 “오오!” 하며 탄성을 질렀다. 나는 완전히 바이킹 바깥쪽으로 고개를 돌렸다. 바이킹이 다시 한번 높이 올라갔다.

레몬색이 감도는 파란 하늘이 시야에 들어왔다. 눈부신 바다에 잠기는 듯했다. 나는 두 팔을 높이 들어 하늘 속으로 빠져들었다. 콧구멍으로 하늘을 빨아들일 기세로 한껏 숨을 들이마셨다. 청량한 공기가 몸으로 들어왔다.

어느 순간 하늘이 점차 낮고 짧게 보이기 시작했다. 나와 현재를 태운 바이킹이 점점 내려갔다. 나는 그제야 한껏 뻗은 팔을 내렸다. 미니 바이킹이 완전히 멈출 때까지 계속 바깥쪽을 바라봤다. 옆에서 현재가 나를 툭툭 쳤다. 그제야 현재가 줄곧 나를 바라보고 있었다는 사실을 깨달았다.

"야, 대박이지? 너 소리 엄청 크게 지르더라."

"그랬어?"

나는 머쓱해서 어색하게 미소 지었다. 입 밖으로 웃음이 새어 나왔다. 아저씨가 내려오라고 핀잔을 줘서 마지못해 일어났다. 바이킹에서 빠져나오는데 아저씨가 잘 가라고 인사했다. 나는 현재를 따라 아저씨에게 고개를 숙였다.

현재가 골목을 향해 걸어갔다. 나는 미니 바이킹을 쳐다보다가 하늘을 다시 올려다봤다. 미니 바이킹을 탔을 때와 다르게 하늘은 까마득해서 내가 손을 뻗어도 닿지 않을 것 같았다.

"왜 안 와? 빨리 가야 한다며."

앞서간 현재가 나를 불렀다. 나는 하늘을 쳐다보다가 스핀이 생각나 현재가 있는 곳을 향해 달려갔다. 골목 앞에 이르자 현재가 말했다.

"미니 바이킹 어땠냐? 나 따라서 오길 잘했지?"

"그네보다 더 큰 그네가 있었네."

"뭐라고?"

현재가 내 쪽으로 귀를 기울였지만 나는 했던 말을 되풀이하지 않았다. 속마음을 다시 말하기가 왠지 쑥스러웠다. 대신 나는 엄청 재밌었다고 대답했다. 그러자 현재가 말했다.

"나는 다시 트럭 쪽으로 가야 해. 집에 들렀다가 학원으로 가야 해서. 여기서 너네 집까지 혼자 갈 수 있어?"

나는 고개를 끄덕였다. 현재는 손가락으로 골목 안을 가리키며 저 안으로 쭉 가면 놀이터가 나온다고 설명했다. 바이킹을 타고 나니 현재는 훨씬 가깝게 느껴졌는데 집으로 가는 골목은 한없이 멀어 보였다. 나는 머뭇거리다가 말을 꺼냈다.

"또 와."

그 말에 현재가 웃었다. 현재는 손을 크게 흔들고 나서 트럭 쪽으로 걸어갔다. 나는 현재의 뒷모습을 바라보다가 골목 안으로 뛰어 들어갔다.

문신

뛰다 말고 숨을 크게 내쉬었다. 달리기는 너무 오랜만이었다. 구역질이 날 것 같았다. 미니 바이킹에서 내릴 때부터 몸이 으슬으슬 떨렸는데 이제는 재채기까지 나왔다. 나는 추워서 양팔을 부여잡았다. 현재를 따라갈 때는 몰랐는데 골목의 빌라들이 우리 집 빌라랑 많이 닮았다. 무엇보다 우리 동네처럼 사람이 없었다. 이 근방에 나밖에 없다는 생각이 드니 덜컥 겁이 났다.

마침내 저 앞에 아주 조그맣게 빨간 그네가 보였다. 나는 최대한 빨리 걸었다. 놀이터 쪽에서 미세한 바람이 불었다. 맞은편에서 오토바이가 이쪽으로 달려오고 있었다. 오토바이가 왼편에서 오고 있어서 나는 오른편으로 걸어갔다. 그런데 오토바이가 내 쪽으로 다가오면서 점점 속력을 줄였다. '혹시 팔뚝 아저씨가 아닐까?' 하는 생각에 두려움이 덜컥 생겼다.

나는 뒷걸음질을 쳤다. 오토바이가 가까워지고 있었다. 다섯 발걸음쯤을 앞두고 오토바이가 멈췄다. 나는 이때다 싶어 있는 힘을 다해 오토바이를 지나쳐서 뛰었다. 그러자 뒤에서 오토바이가 나를 쫓아왔다. 오만 가지 생각이 다 들었다. 역시 엄마 말을 들었어야 했다. 그러지 못해 팔뚝 아저씨에게 들켜 버리고 말았나 보다. 나는 있는 힘을 다해 달렸다. 콧물까지 옆으로 흘렀다. 콧물을 훔치며 달리는데 뒤에서 익숙한 목소리가 크게 들렸다.

"야! 나라고, 나!"

나는 걸음을 멈추고 뒤를 돌아봤다. 배달 형이 한 손을 흔들었다. 형은 오토바이를 내 옆까지 끌고 와 세웠다. 자세히 보니 형이 늘 타고 다니던 오토바이였다. 그동안 형이 오토바이를 탄 모습은 창문 너머로 본 게 전부라서 배달 형이라고 미처 생각하지 못했다. 이렇게 코앞에서 오토바이를 본 건 이번이 처음이었다. 빨간 오토바이는 가까이서 보니 군데군데 칠이 벗겨져 있었다. 형이 헬멧을 벗고 눌린 머리를 털면서 말했다.

"야, 누가 보면 내가 도둑인 줄 알겠다. 그나저나 밖에서 보니까 완전 새롭네. 엄마 몰래 나왔어?"

"응, 나 빨리 가야 해."

"백만 년 만에 나와 놓고 뭘 빨리 들어가. 바깥 구경 좀 더 하고 가지. 가고 싶은 데 없냐? 나 이제 배달 끝나서 시간 좀 남는데."

"아, 안 돼. 에에이취!"

내 재채기 소리가 골목을 울렸다. 콧물이 밖으로 삐져나와서 팔로 쓱 닦았다. 그러자 형이 주머니에서 휴지를 꺼내 내 손에 쥐여 주었다.

"야! 넌 무슨 이런 날씨에 반팔을 입냐? 그러니까 감기에 걸리지. 겉옷 좀 입고 나왔어야 할 거 아니야. 운동화라도 신든가."

형이 신경질을 내며 자기가 입고 있던 까만 점퍼를 벗어 내 어깨에 걸쳐 주었다. 나는 휴지가 없었다고 대꾸하고 싶었지만 그 대신 코를 다 푼 휴지를 얌전히 바지 주머니에 넣었다. 점퍼가 나에게 너무 커서 망토 같았다.

그런데 형이 이맛살을 찌푸리며 다른 쪽을 봤다. 멀리서 경찰차가 오고 있었다. 형은 재빨리 헬멧을 다시 썼다. 차 한 대가 들어서니 골목이 가득 찼다. 경찰차는 좁다란 골목을 꾸역꾸역 들어오더니 나와 형이 있는 곳 앞에 섰다. 앞 창문이 내려가면서 머리를 하나로 묶은 경찰관 누나가 나타났다.

“지금 둘이 뭐 하는 거야?”

“뭐, 뭐가요? 제 동생이랑 얘기하는데요.”

형이 말을 더듬거리는 건 처음 봤다. 나는 형이 ‘동생’이라고 해서 기분이 좋았다. 점퍼를 담요처럼 폭 뒤집어쓰고 점퍼 깃을 두 손으로 쥐었다. 점퍼에서 기름 냄새가 났다.

“근데 동생 얼굴이 왜 그래. 네가 때린 거 아냐?”

경찰관 누나가 인상을 쓰고 말했다. 왜 저 경찰관 누나는 배달 형을 의심할까? 괜히 내가 답답해져서 대신 말했다.

“저희 형이에요. 얼굴은 제가 그네 타다가 넘어져서 그래요.”

“그래? 근데 너, 어디서 본 거 같은데…….”

내가 대답했는데도 경찰관 누나는 형만 유심히 쳐다봤다. 그러다 창문을 올리고 비좁은 골목을 빠져나갔다. 형은 경찰차가 골목을 빠져나가 완전히 사라질 때까지 지켜봤다. 골목이 잠잠해지자 배달 형이 오토바이를 향해 고갯짓을 했다.

"탈래? 집까지 데려다줄게."

내가 고개를 끄덕였다. 형이 나를 두 팔로 들어 올려 의자에 앉혔다. 그러고는 쓰고 있던 헬멧을 내게 씌웠다. 형이 말했다.

"너희 엄마 언제 오는데?"

"6시 넘어서."

형이 알겠다며 앞자리에 올라탔다. 시동을 걸자 오토바이가 요란한 소리를 내며 덜덜거렸다. 나는 점퍼가 벗겨지지 않도록 재빨리 지퍼를 채워 올리고 점퍼에 두 팔을 끼웠다. 그런 다음 형의 허리를 꽉 잡았다. 배달 형이 오토바이를 반대로 돌려 골목을 벗어났다. 나는 뒤에서 형에게 물었다.

"형, 이리로 가는 거 맞아?"

목소리가 헬멧 안에서 맴돌았다. 형이 내 말을 듣지 못했는지 대꾸가 없었다. 형은 그저 느긋하게 오토바이를 몰며 하얀 트럭을 지나쳤다. 나와 현재가 떠난 미니 바이킹엔 다른 아이들이 앉아 있었다.

오토바이가 앞으로 죽죽 달려갔다. 무작정 빠르게 나아가는 기분은 미니 바이킹을 탔을 때와 비슷했다. 가슴이 두근거리면서 자꾸만 웃음이 났다. 오토바이는 다른 차들을 앞서가다가 신호등의 빨간불 앞에서 멈췄다. 잠시 멈춰 선 틈을 타서 나는 고개를 옆으로 살짝 빼 주변을 구경했다. 길 양옆으로 나무들이 심겨 있었다. 왼편에는 까마득하게 높은 건물들이 잔뜩 늘어서 있었고, 오른편엔 비교적 건물이 적은 길이 나 있었다.

저 나무들이 어디까지 자랐는지 궁금해 나는 고개를 뒤로 젖혔다. 나뭇가지가 하늘을 찔렀다. 우리 집 천장과는 비교도 안 될 만큼 높은 하늘은 끝이 보이지 않아서 정신이 아득해졌다. 세상이 한없이 넓게 느껴져서 겁이 났다. 나는 형의 허리춤을 꽉 붙들었다.

다른 차들과 함께 형은 오른쪽으로 방향을 틀었다. 어느덧 도로는 아스팔트에서 울퉁불퉁한 흙길로 바뀌었다. 오토바이가 꼬불꼬불한 길을 잘도 올라갔다. 키 큰 나무들을 등지고 쌩쌩 달렸다. 양옆으로 나무가 세워진 길 사이로 올라가다 보면 멋진 곳이 나타날 것만 같았다.

오르막길 끝에 이르러서야 오토바이가 속력을 줄였다. 형이 멈춘 곳은 우리 집 빌라가 아니었다. 간판이 하얗게 반짝거리는 가게였다. 가게 앞엔 파라솔과 등받이 없는 의자들이 놓여 있었다. 배달 형은 파라솔 옆에 오토바이를 세웠다. 형이 먼저 내리고, 그다음 나를 내려 줬다. 나는 간신히 헬멧을 벗어 형에게 줬다.

“기왕 나왔는데 맛있는 거라도 먹고 가라.”

“여기가 어딘데?”

형은 대답하지 않은 채 내 어깨를 붙들고 나를 앞세웠다. 나는 형에게 밀려 안으로 들어갔다. 천장에서 환한 형광등 불빛이 쏟아졌다. 안을 들여다본 나는 깜짝 놀라서 눈이 크게 떠졌다.

“이야!”

바닥까지 하얀 가게는 우리 집보다 깨끗해 보였다. 진열장에는 과자들이 칸칸이 들어차 있었다. 눈 부신 형광등에 과자 봉지가 반짝거렸다. 형을 따라 안쪽으로 더 들어갔다. 냉장고처럼 냉기가 나오는 곳에 삼각 김밥, 도시락, 소시지, 우유가 종류별로 진열되어 있었다. 형이 내 등을 툭툭 쳤다.

“뭐냐, 그 반응은. 편의점 처음 오냐? 먹고 싶은 거 골라.”

“정말?”

“내가 오늘은 돈이 없으니까 두 개만 사.”

“돈이 없는데도 살 수 있어?”

“아예 없는 게 아니라 조금만 있다고. 암튼 골라 봐.”

나는 가게 안을 크게 한 바퀴 돌았다. 우유 코너를 지나자 음료수와 술을 파는 곳, 상자 과자와 봉지 과자, 봉지 라면과 컵라면들이 줄지어 진열되어 있었다. 진열장마다 처음 보는 음식들로 가득했다. 이렇게 맛있는 음식이 잔뜩 나왔는지 몰랐다. 엄마랑 찜질방을 전전할 때만 해도 이렇게까지 종류가 많지는 않았다.

나는 가게 안을 돌면서 음식들을 집었다가 내려놓기를 반복했다. 종류가 너무 많아서 무엇을 골라야 할지 망설여졌다. 마침내 나는 초코 우유를 한쪽 겨드랑이에 끼고, 참치 마요 삼각 김밥과 지렁이 젤리를 양손에 하나씩 들었다. 둘 중에 뭘 내려놓아야 할지 고르고 있는데 형이 말했다.

"뭐 하러 다섯 바퀴나 돌고 있냐? 그냥 둘 다 가져와."

형은 내 손에 들린 삼각 김밥과 젤리를 가지고 가서 계산대에 내려놓았다. 나는 형 뒤에 서서 초코 우유를 계산대 앞에 밀어 넣었다. 직원 아저씨가 검은 봉지에 삼각 김밥과 초코 우유, 젤리를 담아서 형에게 주었다.

나는 형과 함께 편의점을 나왔다. 우리는 파라솔 아래에 있는 의자에 마주 보고 앉았다. 형이 비닐봉지에서 물건들을 꺼내 나에게 건넸다. 나는 온통 비닐로 뒤덮인 참치 마요 삼각 김밥을 어떻게 까야 할지 몰라서 이리저리 돌려 보다가 형을 쳐다봤다. 결국 형이 한숨을 쉬면서 삼각 김밥 포장지를 벗겨 나에게 넘겨줬다.

"너 삼각 김밥 처음 먹어?"

"아니, 옛날에 엄마랑 여관에서 잘 때 몇 번 먹었어."

그리고 이사 온 다음엔 한 번도 못 먹었다. 딱 세 입 만에 삼각 김밥이 입 안으로 다 들어갔다. 나는 밥알이 입 밖으로 튀어나올까 봐 손으로 입을 가렸다. 형이 초코 우유에 빨대를 꽂아 줬다.

"또 굶었냐? 안 뺏어 먹으니까 천천히 좀 먹어."

나는 목이 막혀서 초코 우유를 빨아 먹었다. 먹을 때마다 배에서 꾸르륵 소리가 나고 누가 찌르듯이 위가 아팠지만 먹는 걸 멈출 수가 없었다. 맛있는 음식과 음료수를 동시에 먹다니, 오늘만큼은 내가 세상에서 제일 행복한 사람이었다. 나는 입 안에 든 삼각 김밥을 반쯤 목구멍으로 넘긴 다음 젤리 봉지를 뜯으면서 말했다.

"형은 오늘만 돈 없어?"

"그게 무슨 말이야?"

"아까 그랬잖아. 오늘은 돈 없다고."

"월급날이 내일이라 오늘 쪼들려. 안 그래도 문신할 돈도 모아야 해서 요새 좀 빠듯해.”

“문신을 또 해?”

내가 보기에 형 팔은 이미 시커먼 덩굴들로 뒤덮여서 살갗이 원래 어땠는지조차 가늠하기 어려웠다. 나는 형이 당연히 까칠한 말투로 대답할 줄 알았다. 그런데 형은 살짝 웃으며 말했다.

“너, 내 팔 제대로 본 적 없지?”

그러면서 형이 말없이 문신으로 뒤덮인 팔을 나에게 들이밀었다. 덩굴과 나뭇잎 그림 사이로 일그러져서 쪼그라든 살갗이 숨겨져 있었다. 나는 왕지렁이 젤리를 집어 들다 말고 형 얼굴을 쳐다봤다. 그동안 한 번도 형 팔을 가까이서 들여다본 적이 없었다. 아무래도 문신은 무서워서 제대로 보지 않았다. 그래서 형 팔에 흉터가 있는지도 몰랐다. 형은 내게서 고개를 옆으로 돌리고는 말을 꺼냈다.

“2년 전에 생긴 건데 안 없어져. 아빠가 밥상을 엎었는데, 나도 그때 운이 없긴 했지. 찌개 냄비가 내 앞으로 쏟아졌거든. 근데도 아빠는 나한테 욕하고 발길질하더라. 뭐, 쌍욕이야 맨날 아빠한테 들었지만, 그땐 진짜 아니다 싶었지. 그전에도 집 나갔다가 경찰한테 붙잡혀서 들어왔는데, 이번에는 집을 나와서 아예 핸드폰 번호를 바꿔 버렸어. 그 뒤로 아빠 얼굴 본 적 없어."

나는 형 얼굴을 바라봤다. 형 눈이 촉촉했다. 형이 계속 말했다.

"아빠는 원래 그랬어. 엄마 있을 땐 엄마를 패더니, 엄마가 도망치니까 날 때리더라."

나한테 형은 세상에서 제일 멋있는 사람이었다. 나무 젓가락으로 새총을 만들 줄 알고, 오토바이도 몰고, 주문이 밀려도 엄마가 없을 때 꼭 우리 집에 들러서 내게 군만두를 가져다줬다. 이런 상처가 있는 줄은 전혀 몰랐다.

나는 멍 든 손가락으로 형 팔을 조심스럽게 매만졌다. 보기엔 문신으로 흉터가 가려질지 몰라도 직접 만져 보니 아니었다. 형 팔은 우둘투둘 일어난 상처투성이였다.

"내가 너한테 왜 군만두 주는지 아냐?"

나는 형 말을 듣고 곰곰이 생각해 보다가 고개를 저었다. 형은 원래 착한 사람이니까 그런 줄 알았다. 이유가 있을 거란 생각은 못했다. 형이 피식 웃었다.

"난 감자튀김을 받았어."

뜬금없는 말에 나는 형을 멀뚱히 쳐다만 봤다. 형이 대뜸 다리 한쪽을 탁자 바깥으로 뻗었다. 그러고는 지저분

한 운동화를 벗고 검정 양말까지 벗었다. 붉은 발등엔 팔에서 봤던 것과 같은 일그러진 흉터들이 얼룩져 있었다. 나는 형 발에서 눈을 뗄 수 없었다. 형이 얼마나 아팠을지 짐작이 가서 너무 슬펐다.

“중국집 배달 일을 하기 전에 햄버거 가게에서 일했어. 팔은 그런대로 나았는데 발등은 신발을 계속 신어서 그런지 영 안 낫더라고. 하루는 일 끝내고 몰래 창고에서 발을 소독하는데 매니저 누나가 우연히 날 본 거야. 이것저것 물어보더라? 난 대충 대답했는데 그때부터 매니저 누나가 감자튀김을 많이 튀겨 놓고 남은 건 나중에 나한테 다 줬어. 햄버거는 빼돌리면 점장한테 걸린다고. 이것만 줘서 미안하다고.”

나는 의자에서 일어나 흉터로 뒤덮인 형 발 앞에 쭈그려 앉았다. 하얗게 일어난 흉터 자국들이 칼로 난도질한 것처럼 어지럽게 뻗어 있었다. 발등의 가운데 부분은 어두운 갈색이었다. 형은 뭘 그런 걸 자세히 보냐면서 이제 발등에도 문신할 거라고 얘기했지만, 나는 형이 한 말이 자세히 들리지 않았다. 마치 텔레비전 소리를 줄이듯 형이 하는 말이 점점 들리지 않았고, 흉터만 더 크고 선명하게 보였다.

나는 형 발에 호, 하고 입김을 불었다. 쓰라릴 때 그렇게 하면 조금 나아졌다. 어쩌면 형은 지금까지 쓰라릴지도 몰랐다. 내 손으로 형 발등을 덮었다. 흉측한 흉터가 완전히 가려졌다. 멀리서 보면 형 발이 멀쩡해 보일 것 같았다. 내 손가락에 든 멍도 가려져서 보이지 않았다.

나는 다시 자리로 돌아와서 앉았다. 형이 괜히 코를 훌쩍거리면서 고개를 딴 데로 돌렸다. 나랑 형은 바깥 풍경을 말없이 구경했다. 형이 불쑥 말을 꺼냈다.

"넌 아빠랑 따로 살아? 한 번도 뵌 적이 없는 것 같은데."

"나도 이사 오고 나선 만난 적 없어."

"할아버지나 할머니는 안 계시고? 차라리 엄마한테 할머니 집에 보내 달라고 해."

"한 번도 본 적 없어."

"양쪽 다?"

"응."

이사 오기 전, 초등학교를 다닐 때였다. 학교에서 가족신문을 만드는 숙제를 내줬다. 나는 엄마에게 우리 집은 왜 할아버지 할머니가 없냐고 물었다. 그때 엄마는 "엄마한텐 아빠랑 영유밖에 없어."라고 대답했다. 친할아버지와 친할머니는 내가 어렸을 때 연락이 끊겼고, 외할아버지랑 외할머니는 엄마가 어렸을 때 세상을 떠났다고 했다. 엄마한텐 군만두나 감자튀김을 주는 사람이 하나도 없었나 보다.

나는 초코 우유를 마시면서 형이 찬 손목시계를 봤다. 5시 15분이었다.

"형, 나 집에 가야 해. 문 열어 놓고 왔어."

"아, 맞다!"

나는 형과 함께 의자에서 일어나 오토바이가 있는 쪽으로 갔다. 형에게서 헬멧을 받아 쓰고 오토바이에 올라탔다. 형이 오토바이를 몰고 왔던 길을 되돌아갔다. 좁은 길과 낡은 팻말들을 지나쳐 큰 도로로 접어들었다. 파랗기만 했던 하늘이 붉게 물들어 가고 있었다. 나는 언제 또 하늘을 볼지 몰라서 형에게 조금만 천천히 가라고 말했다. 하지만 헬멧 때문에 들리지 않았는지 형은 속도를 늦추지 않았다. 빨리 들어가야 했지만, 집에 가까워질수록 아쉬운 마음이 커져 갔다. 나는 오토바이에서 내릴 때까지 하늘만 쳐다봤다.

어느새 집으로 가는 골목 안으로 접어들고 있었다. 저 앞에 아무도 없는 놀이터가 보였다. 형은 빌라 바로 앞에 오토바이를 세웠다. 나는 형의 허리를 붙잡으며 오토바이에서 내렸다. 헬멧을 벗어 형에게 주면서 말했다.

"형, 고마워."

"됐어. 야, 가끔 이렇게 집 밖으로 나와. 나와도 안 위험하고 좋잖아. 맛있는 것도 먹고."

"응."

나는 형에게 점퍼를 벗어 준 다음, 슬리퍼를 질질 끌며 빌라 안으로 들어갔다.

소매 

"내일은 나가서 언제 와?"

나는 신발 끈을 매는 엄마에게서 멀찍이 떨어져 물었다. 엄마가 퉁명스럽게 대꾸했다.

"아예 들어오지 말까?"

"아, 아니."

나는 어항 가까이서 스핀을 보는 척했다. 엄마가 일을 구하는 동안에는 엄마 심기를 건드리면 안 됐다. 언제 어떻게 맞을지 몰랐다. 거기다 엄마는 하루하루 야위어 가고, 머리카락도 부스스해졌다. 여기서 더 빠질 살이 없는 줄 알았는데, 엄마는 이전보다 더 살이 빠졌다. 걸어 다니는 게 신기할 정도였다.

엄마는 살도 빠지고 머릿속 나사 하나도 빠진 사람 같

았다. 분리수거를 하러 가지 않아서 분리수거 통엔 빈 술병만 늘어 갔다. 심지어 물도 사 오지 않았다. 한번은 내가 목이 마르다고 했더니 엄마가 물 떠 주는 사람이냐며 화를 냈다. 그래서 그 뒤로 나는 싱크대에서 수도꼭지를 틀어 물을 마셨다.

어젯밤에 엄마는 밤 10시가 넘어서 집에 왔다. 들어오자마자 그대로 거실에서 잠들었다. 오늘은 오전 내내 텔레비전만 보다가 정오를 훌쩍 넘겨서야 씻고 나갈 준비를 했다. 나는 어제부터 엄마가 뭘 먹는 모습을 보지 못했다.

"쫓겨나기 싫으면 청소해 놔. 일찍 올 테니까."

엄마는 그 말만 남기고는 어딘가에 홀린 듯 문을 닫고 나가 버렸다. 나는 남은 힘을 짜내 화장실로 들어갔다. 샤워기를 틀자 찬물이 졸졸 흘렀다. 나는 재빨리 몸에 물을 끼얹었다. 어제 형이랑 얘기하고 난 이후론 형 말을 잘 듣고 싶었다.

비누로 머리를 감으면서 어제를 떠올렸다. 정말이지 엄청난 하루였다. 난생처음으로 미니 바이킹을 탔다. 거기다 오토바이를 타고 편의점도 구경하고, 삼각 김밥에 초코 우유와 지렁이 젤리까지 먹었다. 물론 저녁에 집에

오자마자 속이 울렁거려 전부 토했지만 말이다. 나는 내가 밖으로 나가기만 하면 땅이 꺼지기라도 하는 줄 알았다. 하지만 아무 일도 일어나지 않았다. 오히려 반짝반짝하고 신나는 일만 가득했다.

찬물로 씻어서 온몸이 떨렸다. 나는 눅눅한 수건으로 몸만 대충 닦고 나왔다. 그대로 이불 속에 몸을 파묻고 옆으로 누워 어항을 쳐다봤다. 어항에는 스핀 대신 스핀이 눈 실똥만 둥둥 떠다녔다.

나는 황급히 몸을 일으켰다. 별생각이 다 들었다. 스핀이 이번엔 또 어디로 떨어졌을까. 엄마가 나가기 전만 해도 어항 속에 있었는데. 너무 오래 밖에 나와 있으면 어떡하지? 이불을 들추는데 무언가 바닥에서 파닥거렸다. 스핀이 온몸을 비틀어 대고 있었다. 나는 두 손으로 스핀을 들어 올려 어항 속으로 집어넣었다. 스핀은 물에 들어가자 유유히 어항 안을 헤엄쳤다. 나는 안심이 되면서도 속이 상해서 소리쳤다.

"자꾸 왜 그래! 죽는 줄 알았잖아!"

그러면서 순간 어항을 발로 차서 깨 버리고 싶은 충동이 들었다. 나는 어항 대신 이불을 걷어찼다. 숨이 찰 때까지 이불을 차고 나자 먼지들이 거실을 떠다녔다. 그렇게 해도 마음이 진정되지 않았다. 나는 손바닥으로 머리를 마구 두드렸다. 한참 그러고 있으니 좀 가라앉았다. 나는 어항 앞에 주저앉았다. 스핀은 아무렇지 않다는 듯 하얀 돌멩이 근처를 서성였다.

"미안, 스핀."

스핀 잘못만은 아니었다. 사실 어항을 차 버릴 만큼 스핀이 잘못하지도 않았다. 나는 스핀이 원래 힘이 센 걸 알고 있었다. 이전에도 가끔 스핀은 어항 밖으로 튀어나왔다. 그런데 그게 갈수록 잦아지니까 불안했다. 내가 발견하지 못했다면 스핀은 그대로 죽었을 것이다. 나는 스핀이 내 곁을 떠난다는 걸 상상도 하고 싶지 않았다.

잔뜩 구겨진 이불을 개면서 싱크대 창문으로 바깥을 내다봤다. 오늘은 현재가 학원을 가는 날이었다. 빨리 내일이 왔으면 좋겠다. 어제 현재랑 놀고 나니까 혼자 집에 있는 게 훨씬 심심해졌다. 그런데 저 멀리서 발갛고 둥글둥글한 얼굴이 나타났다. 나는 눈을 비비적거렸다. 배고파서 헛것이 보이나 싶었다. 눈을 아무리 비비고 끔뻑거려도 상황은 다르지 않았다. 현재가 이곳으로 뛰어오고 있었다. 나는 이불을 개다 말고 창문을 열었다.

"현재야!"

나는 손을 마구 흔들었다. 그런데 현재의 표정이 좋지 않았다. 어딘가 이상했다. 곧 현재 뒤로 세 명의 아이들이 뛰어오는 게 보였다. 예전에 현재를 둘러싸고 괴롭히던 녀석들이었다. 현재는 놀이터로 넘어오다가 발을 헛디뎌 넘어졌다. 그 뒤를 빠른 속도로 패거리가 쫓아왔다. 현재가 주춤거리며 일어나 놀이터를 가로질러 달려왔다.

나는 왠지 현재가 어디로 오는지 알 수 있었다. 현관문 앞으로 곧장 달려갔다. 아니나 다를까 현재가 우리 집 문을 쾅쾅 두드리면서 초인종을 눌렀다.

"영유야! 문 좀 열어 줘!"

"무, 문?"

"쟤네가 이번엔 작정했어. 제발 문 좀 열어 줘, 응?"

소란스러운 소리가 점차 가까워졌다. 내 심장도 빠르게 뛰기 시작했다. 이대로 현재가 잡히면 저번보다 더 심각한 상황이 일어날 수 있었다. 나는 문손잡이를 잡았다. 오늘 아침 엄마가 일찍 오겠다고 했던 말이 또렷하게 기억났다. 이 문을 열어 현재랑 집 안에 숨어 있는데 엄마가 비밀번호를 누르고 들어오는 상상이 들었다. 그 결과는 끔찍했다.

"나, 나 청소해야 해."

"갑자기 무슨 청소야. 빨리 문 좀 열어 줘. 애들 달려온단 말이야."

"안 돼. 엄마가 청소하랬어."

나는 같은 말만 반복했다. 현관문 너머로 송곳과 빡빡머리가 하는 말이 들려왔다. '돼지 새끼.'라든가 '족쳐.'라는 말이 서늘하게 들렸다. 현재가 우리 집 문을 거세게 두드렸다.

"제발 문만 좀 열어 줘, 응? 네가 안 열어 주면 나 어떻게 될지 몰라."

현재는 우리 집 문을 다급하게 두드렸다. 나는 손잡이를 잡고만 있었다. 문을 열면 안 된다는 생각이 내 손목을 움켜쥐고 놔주지 않았다.

결국 묵직한 발소리가 계단 위로 올라가면서 멀어졌다. 그 뒤로 여러 사람의 발자국 소리가 복도를 요란하게 울렸다. 패거리가 계단 위로 올라가는 소리가 내 마음을 짓눌렀다. 조금 있다가 현재가 비명을 내질렀다. 그걸 들으니 내 심장이 스핀처럼 튀어 나가는 듯했다.

나는 어항으로 가서 스핀이 다치지 않게 어항에 손을 집어넣었다. 하얀 돌멩이를 잡히는 대로 집어 들었다. 다른 손으로는 어항 뒤에 놔둔 새총을 꺼냈다. 나는 문을 열고 그대로 나왔다. 한 번도 위층으로 올라간 적은 없었다. 처음 보는 빌라 계단은 턱이 높았고 끝이 날카로웠다. 나는 계단을 두 개씩 걸어 올라갔다. 2층에서 3층으로 올라가는데 벌써 숨이 차고 허기가 졌다.

3층에 다다르자 회색 바지들이 눈에 들어왔다. 나는 돌멩이를 고무줄에 끼워 넣었다. 회색 바지들이 많아서 표적을 맞히기가 쉬웠다. 처음으로 쏜 돌이 회색 바지 무리의 중간에 맞고 떨어졌다. 그와 동시에 누군가 비명을 내질렀다. 나는 남은 돌멩이를 모조리 써서 회색 바지들을 향해 날렸다. 그러자 패거리가 아래쪽으로 내려오기 시작했다.

"야! 누가 우리한테 새총 쐈어!"

누가 한 말인지는 알 수 없었다. 나는 그대로 계단을 내려왔다. 세 칸씩 뛰어 내려왔다. 맨발이 돌계단에 착착 붙었다. 나는 미끄러지듯 순식간에 1층으로 내려왔다. 반쯤 열린 문을 열고 들어가자마자 닫았다. 곧 삐빅, 하며 문이 잠기는 소리가 들렸다. 그와 동시에 북처럼 문이 두들겨졌다. 철문 너머로 송곳이 말했다.

"존나 치사하네. 숨지 말고 나와라. 그때도 너였냐?"

패거리는 문이 부서져라 두들겼다. 내 심장은 세차게

뛰었지만 철문은 끄떡도 않았다. 모처럼 우리 집 문이 안전하게 느껴졌다. 현재가 어떻게 되었을지 궁금했다. 아까 회색 바지들이 몰려 있는 것만 봤지, 그 안에서 현재를 보지는 못했다. 그냥 패거리를 보자마자 맞혀야겠다는 생각밖에 들지 않았다. 현재가 아파하니까 몸이 저절로 움직였다. 그 순간엔 엄마가 일찍 온다고 했던 말도 까먹었다. 그때 낯설고 거친 어른의 말소리가 나타났다.

"너네 뭐 하냐?"

신발을 질질 끄는 소리가 복도를 울렸다. 나는 문 가까이로 가서 아저씨가 뭐라고 하는지 귀를 기울였다. 아저씨는 낮은 음성으로 패거리를 나무랐다. 패거리는 뭐라고 대들었는데 아저씨가 몰아치자 잠잠해졌다. 아저씨는 "또 오면 경찰에 신고할 줄 알아."라는 말을 끝으로 신발을 끌고 계단 위로 올라가 버렸다. 그 애들이 문 앞에서 중얼거렸다.

"됐어. 어차피 돈은 뜯어냈어. 피시방이나 가자."

"이 새끼, 너, 운 좋은 줄 알아라. 다음에 만나면 그냥 안 둔다."

그 말을 끝으로 빡빡머리가 발로 철문을 걷어찼다. 나는 문에 기대고 있다가 그 충격에 몸이 잠깐 휘청거렸다.

배고파서 이대로 허리가 꺾여 버릴 것만 같았다. 하지만 나는 이를 악물고 자리에서 다시 일어났다. 손잡이를 붙들고 작은 구멍으로 바깥을 내다봤다. 현재를 보고 싶었다. 현재가 패거리와 같이 갔을 리는 없었다. 뒤돌아 시계를 봤다. 10분이 지났는데도 현재는 내려오지 않았다. 나는 현재가 왜 위에서 내려오지 않는지 걱정되었다.

오줌이 마려웠다. 하지만 화장실을 다녀온 사이에 현재가 지나갈 수도 있었다. 나는 그 자리에서 다리를 비비 꼬았다.

"현재야."

나는 있는 자리에서 큰 목소리로 현재를 불렀다. 하지만 철문은 내가 내는 소리도 막아 버렸다. 바깥에서 아무 대답도 들리지 않았다. 또 5분이 지났다. 나는 부리나케 오줌만 싸고 바로 문 앞으로 뛰어왔다. 하마터면 화장실 문턱에 발이 걸려 넘어질 뻔했다. 아직 현재는 내려오지 않은 것 같았다.

나는 현재가 내려와서 우리 집 문 앞에서 옛날처럼 구시렁댈 줄 알았다. 그럼 나는 청소하느라 오래 걸렸다고 얘기하려 했다. 하지만 현재가 없으니까 준비했던 어떤 말도 할 수 없었다.

나는 문을 조심스럽게 열었다. 밖으로 고개를 내밀었다. 엄마가 그사이에 올지도 몰랐다. 이럴 줄 알았으면 진작 나갔다가 올걸 그랬다. 5분 전, 아니 10분 전이 너무나 후회되었다. 나는 더 후회하기 전에 오줌 싸러 갔다 온 것처럼 빨리 꼭대기 층까지만 올라갔다 오기로 했다. 문이 닫히지 않도록 문틈에 슬리퍼를 걸쳐 놓고 나왔다. 한쪽 발만 슬리퍼를 신은 채 계단을 올랐다. 한 걸음씩 올라갈수록 산에 오르는 것처럼 기운이 빠졌다. 그런데 위에서 누군가 계단 난간에 의지한 채 절뚝거리면서 내려오고 있었다.

내가 아주 보고 싶었던 회색 교복이었다.

현재가 세 계단 위에서 나를 내려다봤다. 현재의 코 주변이 아주 붉었고 지저분했다. 와이셔츠 한쪽 소매 끝은 검붉은 피로 얼룩져 있었다. 현재가 그 소매로 다시 한번 코를 훔쳤다. 오늘따라 현재는 유난히 붉었다. 얼굴도, 눈도, 코도, 소매도 다 불그스름했다. 현재는 입을 열지 않았지만 나는 현재가 무슨 생각을 하는지 알 수 있었다.

나는 간신히 용기를 내어서 말했다.

"처, 청소가 늦게 끝나서. 엄마가 하라고 해서."

맞은 건 현재인데 내가 눈물이 날 것 같았다. 이대로

현재를 보내고 싶지 않았다. 나는 다시 말을 꺼냈다.

"휴지 갖다줄까?"

현재는 나를 한결같은 눈빛으로 쳐다보다가 한쪽 다리를 절면서 그대로 나를 지나쳐 내려갔다. 그러고는 뒤도 돌아보지 않고 느릿느릿하게 빌라 밖으로 빠져나갔다.

처음

현재는 오지 않았다. 그다음 날도, 그다음다음 날에도 우리 집 복도는 고요했다. 하루가 아주 느렸다. 어제랑 오늘이 똑같이 흘러갔다. 현재가 오지 않으니까 요일을 알 필요가 없어졌다. 마음이 뒤죽박죽이었다. 미안하면서도 억울했다. 현재에게 문을 열어 주었단 사실을 엄마에게 들켰다면 현재를 못 보는 건 물론이고, 엄마가 나를 텔레비전 방에 온종일 가뒀을지도 몰랐다. 그리고 늦긴 했지만 새총을 쏘아서 패거리의 시선을 돌린 것도 나였다.

그러나 어떤 식으로 생각해도 결론은 하나였다.

그때 문을 열어 줬어야 했다.

어떻게든 과거를 끌어당기고 싶었다. 하지만 손에 잡

히는 건 아무것도 없었다.

창문 쪽으로 고개를 들었다. 혹시나 현재가 오지 않는지 살폈다. 하지만 창밖 풍경은 그림 같았다. 어떤 움직임도 없었다.

나는 싱크대 서랍에서 스핀의 먹이통을 꺼냈다. 붉은 먹이가 반도 남지 않았다. 엄마가 다시 돈을 벌면 스핀의 먹이통부터 사 달라고 해야겠다고 다짐했다. 숟가락으로 가루를 떠서 스핀의 어항에 뿌려 주었다. 붉은 먹이에서 나는 냄새가 유난히 고소했다. 나는 한 숟가락을 푹 퍼서 내 입에 털어 넣었다. 짜고 텁텁했다.

나는 스핀의 어항 앞에 누워서 눈을 감았다. 아득하게 초인종 소리가 들려왔다. 처음엔 꿈에서 듣는 줄 알았다. 스핀이 꼬리를 치며 내 앞으로 다가와 입을 뻐끔거렸다. 내게 '일어나.'라고 말하는 것 같았다. 나는 가까스로 몸을 일으켰다. 순식간에 눈앞이 까매졌다. 잠시 벽을 짚고 서 있었다. 시야가 원래대로 돌아오고 나서 현관문 쪽으로 갔다. 문을 여니 배달 형이 삐딱하게 서 있었다.

"너 왜 그래? 무슨 일 있냐?"

배달 형이 문을 닫고 들어왔다. 나는 형 앞에 주저앉았다. 현관 바닥이 차가웠다. 형이 내 뺨을 툭툭 쳤다.

"야, 괜찮아? 정신 차려. 네가 살이 어디 있다고 어떻게 여기서 더 말라."

형이 철가방을 열자 기름진 냄새가 훅 끼쳤다. 음식 냄새를 맡으니 위장이 꿈틀거렸다. 형이 군만두를 내 입에 넣어 주었다. 나는 우물우물 씹으면서 나머지 군만두 두 개를 각각 손으로 집었다. 입 안의 공간이 가득 찰 때까지 만두를 입에 쑤셔 넣었다.

정신없이 마지막 군만두까지 먹고 났는데도 허기가 졌다. 나는 내 손에 묻은 기름을 혀로 핥았다. 갑자기 목이 막혔다. 나는 가슴을 치며 자리에서 일어났다. 싱크대 수도꼭지를 틀어 입을 가까이 댔다. 물이 목을 타고 가슴 아래로 흘러내렸다. 물까지 마시고 나니까 정신이 맑아지는 듯했다. 말할 힘도 생겼다. 나는 다시 형 앞에 바로 앉았다.

"현재가 안 와."

"뭐라고? 꼬박꼬박 출근 도장 찍던 애가 왜 안 와. 둘이 싸웠냐?"

나는 더듬거리며 그날 있었던 일을 꺼냈다. 어디서부터 얘기해야 할지 몰라서 생각나는 대로 형에게 털어놓았다. 형이 심각한 표정으로 내 말을 들어 주니까 마음이 조금 편해졌다. 말을 다 듣고 나서 형이 한쪽 손으로 턱을 쓸었다.

"이거 좀 골 때리네. 걔 안 올 것 같은데."

"왜?"

나는 심장이 쿵 내려앉는 듯했다. 형이 텅 빈 스티로폼 접시와 랩을 집어 철가방 안에 던져 넣으며 말했다.

"제 딴에는 너한테 지극정성이었잖아. 그런데 그렇게 무서운 상황에서 문을 안 열어 주면 얼마나 배신감 쩔겠어. 여기까지 찾아와서 핫도그도 사 주고 미니 바이킹까지 같이 탔다며. 걔는 친구도 없는 애 같은데. 양아치 새끼들도 친구 있는 애들은 그렇게까지 안 건드리거든."

나는 현재에게 친구가 없을 거란 생각은 한 번도 해 본 적이 없었다. 현재가 학교를 다니니까 당연히 반 친구들하고 어울리려니 했다. 형은 이번에도 현재 편을 들었지만 그때만큼 서운하지 않았다. 형 말이 맞았다. 만약 현재에게 도와줄 친구가 가까이 있었다면 여기까지 올 이유가 없었다. 현재는 형만큼은 나를 모르지만, 내가 집 밖으로 나가지 못하는 걸 알고 있었다. 그래서 내가 문을 열어 주지 않았는데도 늘 나를 만나러 왔다.

나는 언제부터인가 그런 현재를 당연하게 여겼다. 학

교도 다니고, 먹고 싶을 때 맘껏 먹고, 그네도 타고 싶을 때 실컷 타니까 나보다 형편이 낫다고 생각했다. 하지만 나에겐 친구가 현재 말고도 스핀이 있었다. 현재는 나 말고 누가 있었을까? 속상함이 줄어들고 미안함이 더 커졌다. 나는 조바심이 났다.

"그럼 어떡해?"

"그걸 내가 알겠냐? 난 걔가 어떻게 생겼는지도 모르는데. 만약에 만난다면 네가 먼저 미안하다고 얘기해야지. 꽤 속상했을걸. 걔 핸드폰 번호 몰라?"

"몰라."

나는 몸을 웅크리고 발가락을 꼼지락거렸다. 그날, 맨발로 나갔다가 뾰족한 것에 찔려 엄지발가락에 피가 조금 났다. 그래서 스핀에게 발가락을 보여 주면서 그날 서운했던 일을 털어놓았다. 하지만 소매가 젖을 만큼 피를 흘리진 않았다. 현재는 피로 물든 와이셔츠를 가지고 혼자서 어디로 갔을까? 나는 형에게 물었다.

"궁전 중학교가 여기서 멀어?"

"차를 타긴 애매한데 걸어가기에도 좀 멀지. 걸어서 아마 20분은 걸릴걸?"

형이 귀를 후비면서 핸드폰을 꺼내 들여다봤다.

"이제 가야겠다. 야, 자주 올 테니까 그때까지 살아 있어, 알았냐? 다음에도 좀비처럼 있으면 혼난다."

형이 일어나서 철가방을 들었다. 나는 몸을 일으켜서 형을 빤히 쳐다봤다. 형이 문손잡이를 잡았다. 나는 형의 까만 점퍼 끝을 쥐었다. 형이 뒤를 돌아봤고, 나는 형을 뚫어져라 바라봤다.

"여기서 궁전 중학교 어떻게 가?"

"뭘 어떻게 가. 여기선 멀어서 차 타고 가는 게 나아."

"지금 궁전 중학교 가면 현재 만날 수 있어?"

"아, 몰라. 학교 끝날 시간이니까 청소 당번 아니면 곧 나오겠지."

"형, 지금 많이 바빠?"

그러자 형이 한숨을 쉬었다.

"왜? 걔한테 데려다 달라고?"

"어떻게 알았어?"

"네 얼굴에 다 쓰여 있거든? 근데 나 지금 바빠서 너 데리고 갔다가 되돌아올 시간까진 없는데. 너 궁전 중학교에서 돌아오는 방법은 아냐?"

"아니."

"그렇게 해맑게 아니라고 하면 나보고 어쩌라고!"

말은 그렇게 하면서도 형은 내 손을 뿌리치지 않았다. 나는 모든 길이 형에게 있는 것처럼 형 점퍼를 꼭 쥐고 놓지 않았다.

°｡°°｡°

"따라 해 봐. 다린빌라 5동 102호."

"다린빌라 5동 102호."

"그래, 너희 집 주소만 잊지 마라. 알겠냐? 올 때는 택시 타. 학교 앞이라서 택시가 잘 지나다닐 거야. 여기 애들이 택시 타고 학원 가는 거 몇 번 봤어. 그거 타고 너희 집 주소만 말하면 돼."

형이 늘 메고 다니는 검은색 보조 가방에서 5천 원짜리 지폐를 꺼내 내 바지 주머니에 깊숙이 찔러 넣었다. 그러면서 한숨을 몇 번이고 내쉬었다.

"나 이제 진짜 가야 돼. 농땡이 치고 있는 거 사장한테 들키면 시급 깎여. 근데 진짜 괜찮겠냐? 여기 한 번도 안 왔잖아. 무섭지도 않아? 안 내키면 지금이라도 빨리 집으로 가든가."

형 말에 나는 학교를 돌아봤다. 붉은 벽돌로 지어진 궁전 중학교 건물은 생각보다 오래되어 보였다. 인조 잔디

가 깔린 운동장 한가운데엔 축구공이 굴러다녔다. 조용한 학교에서 종소리가 울렸다. 나는 형을 보면서 말했다.

"괜찮아."

"휴, 알았어. 그나마 애들 하교하는 시간이라 망정이지, 그게 아니었음 너 데리고 여기 안 왔다. 네 친구는 중학교 1학년이니까 아마 빨리 끝날 거야."

"현재가 일찍 끝나는지 어떻게 알았어?"

"형이 모르는 게 어디 있냐? 중학교 1학년이 다 똑같지. 배달 일 2년 하면 이 근방에 대해 모르는 게 없어져. 나 그럼 간다!"

형은 헬멧을 쓰고 오토바이에 올라탔다. 나를 몇 번이나 뒤돌아봤다. 나는 형을 향해 손을 흔들었다. 마침내 오토바이가 연기를 내뿜으며 멀어졌다.

형이 가고서 나는 학교 건물을 자세히 들여다봤다. 중학교 건물은 내가 다니던 초등학교보다 더 크고 높아 보였다. 내가 다녔던 초등학교 옆에는 같은 이름의 중학교도 있었다. 그때 나는 학교를 오가면서 나중에 졸업하면 바로 옆 중학교를 다녀야겠다고 마음먹었다.

만약 나도 중학교를 간다면 이곳을 다니게 될까? 예전에 배달 형이 이 근처에 중학교가 몇 개 더 있는데 그나마 궁전 중학교가 다닐 만할 거라고 말한 적이 있었다. 현재도 여기 다니니까 나는 중학교를 간다면 궁전 중학교에 들어가고 싶었다. 엄마가 다시 일을 구하게 된다면 중학교에 가도 되는지부터 물어봐야겠다.

교복을 입은 아이들이 하나둘씩 건물 밖으로 나오기 시작했다. 나는 학교 문 앞에 서서 열심히 현재를 찾았다. 뚱뚱하고 눈이 위로 찢어진 애, 얼굴만 동그란 애, 구부정하게 걷는 애가 나를 흘끔 쳐다보면서 정문을 지나쳤다. 뚱뚱하고 시커먼 가방을 멘, 얼굴이 보름달 같은 현재는 보이지 않았다.

곧 운동장과 교문은 학교를 빠져나가는 사람들로 시끌벅적했다. 여자애들과 남자애들이 재잘거리면서 정문을 지나갔다. 다들 나보다 키가 훨씬 컸다. 놀이터 패거리랑 비슷하게 생긴 애들이 뜀박질을 했다. 그 사이로 양복 차림을 한 어른들이 지나갔다.

나는 돌을 쌓아 만든 벽에 바짝 붙어 섰다. 갑자기 많은 사람을 보니까 주눅이 들었다. 그때 멀리서 어깨를 살짝 움츠리고 검은색 가방끈을 양손으로 쥔 채 땅을 쳐다보며 내려오는 아이가 있었다. 단번에 그게 현재라는 걸 알았다. 나는 걸음을 옮겼다.

현재가 고개를 들었다. 나는 현재와 눈이 마주쳤다. 현재는 나를 보자마자 그 자리에서 걸음을 멈췄다. 나도 현재를 쳐다보기만 했다. 하마터면 소리를 지를 뻔했다. 오랜만에 보니 현재가 엄청나게 반가웠다. 현재가 내 쪽으로 가까이 다가왔다. 퉁퉁 부었던 얼굴은 부기가 가라앉았고, 피로 얼룩졌던 소매는 하얬다. 코피 터진 흔적 같은 건 사라졌다. 나 같으면 피멍이 일주일은 넘게 가고 부기가 잘 가라앉지도 않았을 텐데 현재는 제법 빨리 나았다.

현재는 그대로 나를 지나쳐서 문밖으로 빠져나갔다. 지나갈 때 미세한 바람이 팔꿈치를 스쳤다. 그 작은 바람이 칼끝처럼 날카로웠다. 나는 어깨를 어루만지고는 바지 주머니에 손을 찔러 넣었다. 5천 원짜리 지폐가 손등에 스쳤다. 배달 형이 준 돈이었고, 현재에게 할 말이 있어서 바쁜 형을 졸라 여기까지 왔다는 사실이 떠올랐다.

나는 현재 뒤를 따라갔다. 현재는 앞만 보고 무작정 길을 따라 내려갔다. 현재가 걸어갈 때마다 책가방이 덜렁거렸다. 나는 현재랑 비슷한 속도로 걸었다. 현재가 빠르게 가면 뛰었고, 느리게 가면 걸음을 늦추었다. 현재를 따라 횡단보도를 건너고 오른쪽으로 방향을 틀었다. 커다란 돌에 '궁전 아파트'라고 쓰인 곳 앞에서 현재가 드디어 뒤를 돌아봤다.

"왜 왔어?"

현재가 나에게 눈을 흘겼다. 그런 눈빛을 한 건 처음이었다. 그런데 묘하게 마음이 놓였다. 아깐 현재의 눈에서 아무것도 느껴지지 않았다. 내가 대답하지 않으니까 현재가 또 말했다.

"어? 왜 왔냐고! 지난번에 모른 척할 땐 언제고, 오늘은 왜 여기까지 따라왔냐고! 걔네가 나 때리러 온 거 뻔히 알았잖아. 내가 몇 번이나 부탁했는데 너는 꿈쩍도 안 했잖아."

잔뜩 힘준 현재의 눈에 눈물이 고였다. 나는 입 안쪽 살을 깨물었다.

"다른 사람도 아니고 네가 어떻게 그래? 그러고도 네가 친구야?"

어떤 아저씨가 현재를 흘끗 보며 지나쳤다. 드문드문 사람이 오갔지만 여기에 있는 사람이라곤 나랑 현재밖에 없는 것처럼 느껴졌다. 현재는 누가 뒤에서 툭 치면 눈물을 떨어뜨릴 것 같았다. 그건 나도 마찬가지였다. 현재가 다시 물었다.

"네가 친구냐고!"

"응! 처음이니까!"

"뭐가?"

"누구 만나러 여기까지 나온 거."

맞은편에서 바람이 불어왔다. 그렇지 않아도 공기가 차가운데 바람까지 부니까 머리부터 발끝까지 시렸다. 나는 팔짱을 꼈다. 목이 말랐고 배도 고팠다. 현재가 입고 있는 빳빳한 와이셔츠가 따뜻해 보였다. 집 안에 있을 때는 반팔 차림이어도 괜찮았는데 바깥에 나오니까 쌀쌀했다.

나는 현재처럼 고개를 약간 아래로 떨궜다. 배달 형이 현재를 만나면 꼭 얘기하라고 했던 말을 간신히 꺼냈다.

"미, 미, 미안."

날씨가 싸늘해서 입이 떨어지지 않은 건데 긴장한 것처럼 말이 나왔다. 나는 그 자리에서 두 팔로 몸을 감싸 안았다. 한참을 서 있으니까 발끝에 감각이 사라졌다. 현재가 물었다.

"안 추워?"

"아니, 추워."

"그럼……."

현재는 나를 쳐다보면서 다음 말은 안 하고 입술만 오물거렸다. 나는 빨리 현재에게서 대답을 듣고 싶었다. 현재가 보고 싶어서 여기까지 왔지만 지금은 집으로 들어가고 싶은 마음만 들었다. 집에 가서 이불을 뒤집어쓰고 어항 옆에 누워서 스핀을 쳐다보고 싶었다. 현재가 드디어 입을 뗐다.

"우리 집 갈래? 따뜻하고, 맛있는 것도 많은데."

와이셔츠

현재는 101동이라고 쓰인 아파트 입구에 섰다. 나는 고개를 들었다. 태양 때문에 눈이 부셔서 아파트 끝을 제대로 볼 수 없었다. 아파트 입구에 달린 유리문은 닫혀 있었다. 현재는 유리문 왼쪽에 있는 번호판으로 가서 번호를 눌렀다. 나는 현재 뒤에 서서 물었다.

"왜 아파트 입구에 문이 있어?"

"몰라. 도둑 들어올까 봐?"

현재가 제일 아래에 있는 버튼을 누르자 유리문이 열렸다. 나는 현재를 따라 안으로 들어갔다. 꼭 백화점에 들어가는 기분이었다. 현재와 함께 엘리베이터에 올라탔다. 엘리베이터 안에는 1부터 20까지 버튼이 달려 있었다. 현재는 그중에서 20층 버튼을 눌렀다. 엘리베이터가 나와 현재를 데리고 위로 올라갔다. 문이 열리자 나는 현재를 따라 내렸다. 현재는 2002호라는 문패가 달린 문 앞에 서서 비밀번호를 한 번에 누르고 문을 열었다. 현관문을 열고 들어가니 신발장과 현관이 있고, 그 앞으로 유리로 된 미닫이문이 하나 더 있었다. 현재네 집은 부자가 틀림없었다. 집으로 가는데 아파트 입구 유리문부터 현관문, 미닫이문까지 문이 세 개나 있었다.

나는 선뜻 발이 떨어지지 않았다. 이런 데 발을 디디기 조심스러웠다. 신발을 벗고 들어가도 내 발자국이 바닥에 남을 것 같았다. 나는 자기 집 안으로 들어가는 현재의 뒷모습을 지켜봤다. 현재가 미닫이문을 열면서 안으로 들어오라고 손짓했다.

"얼른 들어와. 오늘은 집에 아무도 없어."

나는 그 말에 슬리퍼를 벗고 현재네 집 안으로 들어갔다. 거실이 우리 집 거실과 화장실, 방을 합친 것보다 컸다. 벽 한쪽에 놓인 하얀색 가죽 소파는 때 묻은 흔적조차 없었다. 맞은편엔 문짝만 한 텔레비전이 벽에 달려 있었다. 그 옆에는 금색 테두리로 장식된 액자들이 다닥다닥 붙어 있었다. 액자 안에 상장, 표창장, 대상이라는 글자가 보였다.

"류은재가 누구야?"

"우리 형. 수학 좀 한다고 잘난 척 장난 아니야. 재수 없어."

"네 거는 없어?"

현재는 대답하지 않고 냉장고에서 오렌지 주스를 꺼내 식탁 위에 올려놓았다. 나는 저절로 오렌지 주스에 눈길이 갔다. 현재가 싱크대 옆에 달린 문 안으로 들어갔다. 무언가 부스럭거리는 소리가 들렸다. 문에서 나온 현재 손에는 과자 봉지와 빵 두 개가 들려 있었다. 현재네 집에는 편의점이라도 있는 모양이었다. 현재가 턱짓으로 주스를 가리켰다.

"저것 좀 들어 줘."

"응."

나는 빨리 빵을 먹고 싶어서 오렌지 주스 통을 얌전히 안아 들고 현재를 따라 방으로 들어갔다. 장롱과 책상, 침대가 벽에 붙어 있고, 침대 끝에는 옷이 아무렇게나 너부러져 있었다. 책상 옆에 침대 높이만큼 쌓인 책 더미가 아슬아슬해 보였다. 나는 언젠가 책상이나 침대가 있는 내 방을 상상한 적이 있었다. 둘 중에 하나라도 있으면 좋겠다고 생각했는데 현재는 다 가지고 있었다.

나는 현재와 함께 바닥에 주저앉았다. 벽에서는 곰팡이가 핀 흔적 같은 건 찾아 볼 수 없었다. 현재가 내게 단팥빵을 건네주었다. 단팥빵은 진짜 오랜만이었다. 나는 봉지를 열고 단팥빵을 베어 물었다. 급하게 먹다 목이 막혀 오렌지 주스를 마셨다. 빵에 주스까지 마시니까 나도 현재처럼 부자가 된 듯했다.

"너희 집 돈 많아?"

"몰라. 궁전 중학교 다니는 애들도 거의 다 이 아파트에 살아서. 갑자기 왜?"

"집에 음료수도 있고 빵도 있잖아."

"그건 다른 집도 다 그래."

현재 말은 틀렸다. 우리 집 냉장고는 텅텅 비었다. 3일 전엔 엄마가 냉장고 코드를 뽑아 버렸다. 현재가 오렌지 주스를 가리켰다. 나는 한 손으로 단팥빵을 쥐면서 다른 손으로 주스를 건넸다. 현재가 내게 물었다.

"너 오늘 굶었어?"

나는 고개를 저었다. 입 안에서 단팥빵을 오물거리고 있었기 때문에 말할 수 없었다. 오늘은 배달 형이 준 군만두를 먹은 게 다였다. 그게 아니었으면 현재를 따라 여기까지 오지도 못했다. 배고파서 따라오는 도중에 쓰러졌을 게 분명했다.

빵을 순식간에 먹어 치우고 나서 침대에 등을 기댔다. 침대 끄트머리에 쌓인 옷 더미 속에서 소매 끝이 검붉게 물든 흰색 와이셔츠가 눈에 띄었다. 나는 와이셔츠와 현재를 번갈아 쳐다봤다. 그러자 현재가 말했다.

"그거 아직 못 빨았어."

"왜?"

"엄마한테 혼날까 봐."

"네가 왜 혼나? 너를 때린 애들이 혼나야지."

그때 삑삑거리는 소리가 현관에서 들려왔다. 현재의 표정이 순식간에 굳어졌다. 현재는 이리저리 둘러보다 나를 보더니 말했다.

"저거 빨리 입어."

"뭘?"

"너 학교 안 다니는 거 알면 엄마가 가만 안 있을 거야. 내 셔츠라도 입어. 빨리!"

현재의 표정이 너무나 다급해 보여서 나는 일단 현재가 시키는 대로 피 묻은 와이셔츠를 꺼내 걸쳤다. 그러자 현재가 피 묻은 쪽의 소매를 위로 걷어 접었다.

"절대로 이쪽을 앞으로 내보이면 안 돼, 알았지?"

거실 너머에서 누군가의 말소리가 들려왔다.

"이 슬리퍼는 대체 누구 거니?"

현재가 다급히 일어나서 방 밖으로 나갔다. 나는 방 안에서 나가지 않고 거실을 내다봤다. 머리를 단정하게 빗어 넘긴 아줌마가 선글라스를 벗었다. 현재가 아줌마 앞에 가서 고개를 꾸벅 숙였다.

"엄마, 다녀오셨어요?"

나는 쭈뼛거리며 거실로 나가서 현재 옆에 섰다. 허리를 꼿꼿하게 편 아줌마가 팔짱을 끼며 나를 내려다봤다. 그러자 현재가 말을 꺼냈다.

"제 친구예요. 골프 치러 간다고 하셔서 늦게 오시는 줄 알고……."

"친구?"

아줌마가 눈썹을 올리며 현재에게 답했다. 곁눈질로 쳐다본 아줌마는 잡티 하나 없이 피부가 깨끗했다. 나는 아줌마에게 고개 숙여 인사했다.

"안녕하세요."

"그래, 어디 사니? 여기 사는 애 같진 않은데."

"저는 다린빌……."

"얘 이사 온 지 얼마 안 됐어요. 그래서 엄마가 모르시는 거예요."

현재가 대신 대답했다. 아줌마는 계속 내게서 눈을 떼지 않았다. 아줌마 눈을 보니까 이 집에 들어온 것만으로도 잘못한 기분이 들었다.

"현재한테 친구가 있는 줄 몰랐네. 우리 현재는 하루에 수학 문제를 100개씩 푸느라 바쁠 텐데. 아무튼, 현재 친구니까 공부도 잘하겠네. 넌 어디 학원 다니니?"

나는 고개를 살짝 돌려 현재 눈을 쳐다봤다. 안 다닌다고 말하면 현재가 또 말을 꺼내야 할 것 같았다. 그런 상황을 자꾸 만들면 현재가 곤란해질 거라는 생각이 들었다. 아줌마가 "응? 현재랑 같은 학원 다니나 해서."라고 말해서 나는 고개를 저었다. 내가 말을 하지 않으니까 아줌마가 이번엔 몸을 틀어 현재를 바라봤다.

"현재야, 수학 학원에 전화해서 물어봤는데 요즘 60문제밖에 안 푼다며? 엄만 다 알고 있어. 요즘 친구 만나서 싸돌아다니느라 그런 거였구나. 우리 아들이 얼마나 학원을 때려치우고 싶었을까? 학원 그만두고 싶으면 얼마든지 얘기해. 그 돈으로 형 과외 하나 더 붙여 주면 좋잖아, 안 그러니?"

현재도 대답이 없었다. 나는 아줌마 옆에 있는 것만으

로도 숨이 막혔다. 맛있게 먹은 빵과 주스가 가슴에 걸려서 답답했다. 아줌마는 현재에게 학원 늦지 말란 말을 남기고 다른 방으로 들어갔다. 그제야 나는 숨을 편히 내쉬었다. 옆에서 본 현재 얼굴이 얻어맞은 것처럼 빨갰다.

"영유야, 가자. 난 가방 가지고 나올게."

현재는 나를 남겨 두고 자기 방으로 들어갔다. 나는 거실과 주방을 둘러봤다. 하얀 벽지에 하얀 가구들, 그리고 텔레비전 옆에 놓인 상장 액자들이 보였다. 상장 맞은편에 또 다른 액자가 걸려 있었다. 하얀 가죽 소파 위에 걸려 있는 건 현재의 가족사진이었다. 나는 그쪽으로 고개를 내밀어 가족사진을 들여다봤다.

현재랑 똑같이 생긴 아저씨와 아줌마가 나란히 뒤에 서 있고, 그 앞에 현재와 현재의 형처럼 보이는 사람이 앉아 있었다. 아저씨와 아줌마는 한쪽 손을 각각 현재 형의 어깨 위에 올려놓고 있었다. 네 사람 중에서 현재만 웃지 않았다.

현재가 옆으로 메는 회색 가방을 들고 나왔다. 나는 셔츠를 벗으려고 맨 위 단추를 풀었다. 그러자 현재가 손을 내저으면서 작은 소리로 속삭였다.

"일단 여기서 나갈 때까지는 입고 있어."

나는 현재와 함께 살금살금 거실을 빠져나갔다. 복도 공기는 싸늘했다. 그래도 안에 있을 때보다는 훨씬 편했다. 아파트 밖으로 나오자마자 나는 셔츠 단추부터 풀었다. 보기에는 멋있어 보였는데 막상 입으니 셔츠가 뻣뻣해서 불편했다. 하지만 벗으니까 갑자기 추워져서 재채기가 났다.

"이거 잠깐 입고 있어도 돼?"

"응."

"고마워."

나랑 현재는 말없이 거리를 걸었다. 아파트 단지는 정돈된 곳이었다. 녹색 벽돌이 깔린 보도는 매끄러웠고, 길가에는 크고 작은 나무들이 심겨 있었다. 맞은편 보도에서 서너 살쯤 되어 보이는 아이가 뒤뚱거리며 걸어갔다. 뒤에서는 머리가 긴 아줌마가 아이 등을 손으로 받쳐 주었다. 그 손을 보니 현재네 가족사진이 떠올랐다.

"현재야."

"응?"

"그날 있잖아. 엄마가 뭐라고 안 하셨어?"

"응. 우리 가족 중에 내가 다친 거 눈치챈 사람 아무도 없었어."

현재가 아무렇지도 않게 대답했다. 현재네 가족은 참 이상했다. 스핀은 물고기니까 내가 맞았는지 울었는지 모를 수도 있었다. 하지만 현재네 가족은 물고기가 아니었다. 높은 아파트에 살면서 상장도 여러 개 받고 빵과 주스를 편의점처럼 쟁여 놓는 사람들이었다.

현재는 금세 말을 돌렸다. 패거리가 새총에 맞아서 며칠간 다리를 절었다는 둥, 그 이후로 자기는 건드리지 않는다는 둥 하는 얘기들을 늘어놓았다. 나는 가만히 듣기만 했고, 이따금 고개만 끄덕였다.

나는 현재가 나보다 무조건 더 잘 사는 줄 알았다. 현재는 문이 세 개인 집에 살고, 책상과 침대를 다 갖고 있었다. 하지만 지금은 현재나 나나 혼자라는 생각밖에 들지 않았다. 어느새 궁전 아파트 돌 간판을 지나쳐 갔다. 나는 주머니에 손을 넣었다. 얼었던 손이 온기로 둘러싸였다. 현재와 나는 비슷한 속도로 걸어갔다. 나는 앞을 바라보며 말을 꺼냈다.

"나는 초등학교를 4학년 2학기까지 다니다 말았어."

"뭐? 어쩌다가?"

"조폭 아저씨들한테 쫓겨서."

"진짜? 완전 소름 끼친다. 그런 일은 텔레비전에서만

봤는데."

"도망 다니다 이쪽으로 이사 왔어. 엄마가 학교도 가지 말고 집에만 있으랬어. 밖은 위험하다고. 근데 계속 엄마가 날……."

갑자기 속이 뜨거워지면서 목구멍이 턱 막혔다. 엄마가 밀쳐서 넘어뜨리고, 소주병을 던지고, 손바닥으로 뺨을 후려쳤던 기억이 마음을 할퀴고 지나갔다. 차마 그다음 말을 이을 수 없었다. 나는 울지 않으려고 하늘을 올려다봤다. 그렇게 하니까 눈물이 양쪽 귀 안으로 스며들었다. 나는 피 묻지 않은 소매로 눈을 훔쳤다. 현재가 내 등을 다독여 주었다. 현재가 고마웠고, 한편으론 쑥스러웠다.

나는 현재에게 그네에서 높이 뛰어내리는 모습과 새총을 잘 쏘는 모습만 보여 주고 싶었다. 이렇게 우는 모습을 두 번씩이나 보여 주고 싶진 않았다. 그런데 현재랑 지내다 보면 나도 모르게 긴장이 풀어졌다.

나와 현재는 커다란 횡단보도를 건너 오른쪽으로 방향을 틀었다. 어딘가 익숙한 길이었다. 한참을 걸으니 왼쪽에 빌라가 가득한 골목이 나타났다. 예전에 현재랑 미니바이킹을 타고 헤어진 곳이었다. 현재가 말했다.

"여기서부턴 가는 길 알지? 쭉 가면 너희 집이야. 미안해. 엄마가 안 왔으면 같이 게임도 하려고 했는데."

"넌 학원 가?"

"응."

현재의 표정에 힘이 하나도 없었다. 나는 와이셔츠를 벗어 현재에게 줬다. 현재가 셔츠를 받아 회색 가방 안에 구겨 넣었다.

한바탕 울고 나니까 이상한 용기가 솟았다. 나는 현재에게 불쑥 말을 꺼냈다.

"나중에 우리 집도 놀러 와. 그때는 진짜로 문 열어 줄게."

"정말?"

현재 얼굴이 밝아졌다. 내가 말했다.

"응. 스핀도 보여 줄게. 물고기인데 내 동생이야."

"좋아. 우리 나중에 시간 되면 큰 바이킹도 타러 가자. 미니 바이킹 말고 진짜로 놀이공원에서만 탈 수 있는 바이킹."

"바이킹?"

현재가 발그레 웃으며 끄덕였다. 나한테는 바이킹이야말로 텔레비전에나 나오는 놀이 기구였다. 나는 놀이 기구라고는 그네가 전부인 세상에 살고 있었다. 텔레비전 속 즐겁고 깔깔거리는 세계에 나도 뛰어들 수 있을 거란 생각은 미처 하지 못했다. 현재를 만나기 전까진 말이다.

"그래."

나는 그게 언제가 될지도, 가능할지도 모르면서 무조건 고개를 끄덕였다.

안경

집으로 가는 내내 발걸음이 가벼웠다. 기분이 들떴다. 5천 원을 아꼈고, 현재도 만났고, 빵과 주스까지 먹었다. 이 정도면 다음 날 아침까지 아무것도 먹지 못해도 견딜 수 있을 것 같았다.

현재와 헤어지고 골목을 빠져나왔다. 나는 놀이터까지 달려가 빨간 그네 앞에 멈춰 섰다. 그네 의자에는 먼지가 조금 쌓여 있었다. 손으로 먼지를 털어 내고 조심스럽게 앉았다. 모래 바닥에 발을 대고 그네를 밀었다. 그네가 괴상한 쇠줄 소리를 내며 포물선을 그렸다. 더 높이 올라가고 싶었지만 어깨가 시렸다. 나는 발로 그네를 다시 살짝 밀었다. 사실 앉아 있는 것만으로도 행복했다. 오늘은 더할 나위 없이 좋은 날이었다. 문득 현재랑 나눴던 약속이 떠올랐다.

그네도 이렇게 재미있는데 바이킹은 어떨까? 나는 태어나서 한 번도 큰 바이킹을 타 본 적이 없었다. 텔레비전에서 바이킹이 왔다 갔다 하는 모습만 봤다. 너무 커서 조금 겁이 나지만 현재랑 함께 타면 무서움이 달아날지도 몰랐다.

나는 두 다리를 쭉 뻗었다. 발 너머로 우리 집 창문이 보였다. 불이 켜져 있었다. 창문 너머로 그림자가 어른거렸다.

"어?"

나는 모래 바닥에 슬리퍼를 파묻어 그네를 멈춰 세웠다. 나올 때 불을 켰던 기억이 없었다. 잠깐 지진이 난 것 같았다. 부들부들 떨려 제대로 몸을 가누기 힘들었다. 넘어지지 않기 위해서 두 손으로 그넷줄을 꽉 쥐었다.

창문 너머로 보이는 건 엄마의 눈동자였다. 엄마가 나를 쳐다보고 있었다.

마음 같아선 그 자리에서 달아나고 싶었다. 하지만 다리가 움직이지 않았다. 도망친다고 해도 갈 곳이 없었다. 무엇보다 스핀이 저 안에 있었다. 나는 스핀에게 가야 한다. 내가 돌아갈 곳은 이 세상에서 하나밖에 없었다. 그곳이 아무리 무서워도 말이다. 내겐 다른 방법이 없었다.

그때 하얀색 차가 놀이터 옆에 멈춰 섰다. 차에서 누군가 내리는 소리가 들렸다. 나는 몸이 굳어서 옆을 돌아볼 수도 없었다. 엄마의 눈동자를 보니 내 시간이 멈춰 버린 듯한 기분이 들었다. 내 옆에 경찰관 누나가 서 있는지도 몰랐다.

"얘, 여기서 뭐 하니?"

경찰관 누나가 내 앞에 쭈그려 앉아서 물었다. 머리를 하나로 묶어 올린 누나는 딱 봐도 강해 보였다. 남자랑 싸워도 이길 것 같았다. 하지만 동그란 안경을 끼고 있어서 그런지 눈빛은 부드러워 보였다.

"그……. 그네 타고 있어요."

나는 겨우 대답했다. 경찰관 누나는 나를 바라보기만 했다. 나는 내 얼굴에 이상한 것이 묻었나 싶어서 손으로 얼굴을 쓸어 봤다. 이마에 맺힌 땀이 손바닥에 배어들었다. 누나가 다시 물었다.

"꼬마는 몇 학년이야?"

"열네 살이요."

"정말? 초등학생인 줄 알았어. 어디 중학교 다니니?"

나는 말문이 막혔다. 중학교에 안 간다고 하면 왜 학

교를 다니지 않느냐고 물어볼 것 같았다. 가고 싶은데 못 간다고 사실대로 말했다가 엄마에게 들키면 엄청 두드려 맞을지도 몰랐다. 나는 경찰관 누나 너머로 우리 집 창문을 바라봤다. 엄마의 눈동자는 없었다. 불도 꺼져 있었다. 나는 불안해서 소리를 마구 지르고 싶었지만 참기 위해 입술을 깨물었다.

"친구는 이름이 뭐야?"

경찰관 누나는 자기가 내 친구도 아니면서 나를 그렇게 불렀다. 그런데 그게 싫지는 않았다. 누나 목소리가 워낙 따뜻하게 들려서인지도 몰랐다.

"구영유요."

"그래. 영유야, 사실 누나는 어떤 친구를 찾고 있어."

"누구요?"

"이 근방에서 수시로 우는 친구가 있대. 누나도 신고를 받고 찾는 중이야. 근데 그게 누군지 모르겠어. 아마 영유 또래일 것 같은데, 이 근처엔 어린아이도 별로 없고 말이지. 그래서 널 보고 물어보러 온 거야."

안경 너머로 누나가 나를 바라보는 눈빛이 심상치 않았다. 나는 누나가 한 말에 대답해 줄 말이 없었다. 내가 아는, 이 근처에 사는 어린아이는 나밖에 없었기 때문이었다.

빌라에서 엄마가 좀비처럼 비틀거리며 걸어오고 있었다. 나도 모르게 입 밖으로 소리 내어 "엄마!"라고 불렀다. 그러자 경찰관 누나가 뒤를 돌아봤다. 엄마는 누나에게 고개를 숙여 인사했다.

"안녕하세요. 저희 아이를 찾아 주셨군요. 정말 감사합니다."

"네? 아이는 여기서 그네를 타고 있던데요. 그런데 애가 아파 보이네요. 너무 말랐고, 여기저기 멍도 들고……."

"아, 그래요?"

엄마가 경찰관 누나의 말허리를 자르며 나를 내려다봤다. 나는 그네에서 얼른 내렸다. 엄마 입은 빙긋 웃고 있었다. 그러나 눈만은 아까 창문에서 봤던 그대로였다. 나는 다른 무서운 생각이 나지 않도록 아랫입술을 세게 깨물었다.

"원체 몸이 약한 아이라서요. 오늘은 집에서 쉬었답니다. 온종일 집에 있어서인지 답답했나 봐요. 영유야, 추운데 들어가자."

엄마가 내 팔을 붙들었다. 그러자 경찰관 누나가 엄마

앞을 가로막았다.

"그럼 뭐 좀 여쭐게요. 저 빌라에서 아이 울음소리가 수시로 들린단 신고를 받았어요. 혹시 그런 소리 듣지 못하셨나요?"

"글쎄요. 아이들이야 원래 자주 울기도 하잖아요."

내 팔을 잡은 엄마 손이 미세하게 떨리고 있었다. 긴장이 되긴 나도 마찬가지였다. 지금은 엄마보다 처음 보는 경찰관 누나가 더 안전하게 느껴졌다. 하지만 엄마 팔을 뿌리칠 수가 없었다. 이유는 모르겠다. 엄마에겐 엄청난 힘이 있었다. 나를 잡기만 해도 꼼짝하지 못하게 했다. 그래서 나는 경찰관 누나를 바라만 봤다.

경찰관 누나도 나를 쳐다보기만 했다. 누나의 눈동자가 내 안을 훑고 있단 걸 느낄 수 있었다. 엄마는 나를 끌고 가다시피 하며 빌라 안으로 데리고 들어갔다. 나는 몇 번이나 경찰관 누나를 뒤돌아 바라봤다.

엄마는 현관문을 열자마자 나를 거실로 끌고 들어갔다. 나는 슬리퍼도 제대로 못 벗어서 슬리퍼 한쪽이 거실에 나뒹굴었다. 엄마는 내 팔을 잡고 놔주지 않았다. 나는 손으로 내 팔을 붙잡은 엄마 손가락을 떼려고 했다. 그런데 오히려 엄마는 내 팔을 꽉 쥐고 나지막한 목소리로 “가만히 있어.”라고 했다. 엄마는 창문을 바라보고 있었다. 경찰관 누나는 우리 집 쪽을 한참 바라보며 고개를 갸웃거렸다. 그러다가 무전을 받더니 경찰차 안으로 들어가 버렸다. 경찰차가 매연을 내뿜으며 우리 집에서 멀어져 갔다.

엄마가 대뜸 나를 밀쳤다. 나는 중심을 못 잡고 넘어졌다. 엄마는 내 팔과 다리를 사정없이 손바닥으로 마구 내리쳤다.

“뭐 하는 짓이야? 네가 감히 밖을 나가?”

엄마는 손으로 내리치다 못해 이제 나에게 발길질을 했다. 엄마 발꿈치가 내 오른쪽 가슴팍을 찍어 내렸다. 숨이 쉬어지지 않을 만큼 얼얼했다.

“엄마, 때리지 마. 제발 때리지 마.”

나는 온몸을 둥글게 말았다. 욱신거리지 않은 곳이 없었다. 쉴 새 없이 맞는 와중에 간신히 엄마의 다리 한쪽을 움켜쥐었다. 입에서 침이 흘렀다. 그러자 엄마가 욕설을 퍼부었다. 그사이에 나는 냉장고 옆으로 고개를 돌렸다. 스핀은 딴 세상에 있는 것처럼 어항 안을 빙빙 돌았다. 엄마가 소리쳤다.

“어떻게 감히 나를 속여. 네가 제정신이 아니지?”

"잘못했어."

"뭘 잘못해? 너는 네가 잘못한 게 뭔지 몰라. 아예 태어나질 말았어야지."

나는 엄마를 쳐다봤다. 순간 내가 잘못 들은 줄 알았다. 엄마 눈빛은 평소와 달랐다. 원래는 싸늘하고 피곤해 보였는데 지금은 눈빛에 무엇이 담겼는지 알 수 없었다. 아득하게 까맣기만 했다. 나는 소름이 돋았다.

내가 엄마 말에 충격을 받아 가만히 누워 있는 동안 엄마는 싱크대를 더듬거리다가 유리그릇을 집었다. 이러다 스핀보다 내가 더 빨리 죽을 수도 있겠단 생각이 들었다. 무슨 힘인지 나는 벌떡 몸을 일으켜 엄마를 밀었다. 엄마가 밀려나면서 손에 들고 있던 그릇을 떨어뜨렸다. 그릇이 두 동강 나면서 파편들이 튕겨져 나갔다. 나는 그대로 어항을 안아 들고 방으로 들어가 방문을 잠가 버렸다. 엄마가 문을 내리쳤다.

"나와! 이 빌어먹을 자식, 안 나와?"

문이 부서질 것만 같았다. 나는 장롱에서 이불을 있는 대로 끌어 내려 스핀과 함께 이불 안으로 숨어들었다. 쉴 새 없이 몸이 떨렸다. 나는 스핀의 어항을 부여잡고 소리 내어 울었다. 어항 속 물이 쏟아져서 주변이 축축했다.

문이 열리면 엄마는 접시를 던질 것이다. 그게 내 머리로 날아오거나 스핀의 어항에 맞을 수도 있었다. 어항이 깨지면 나는 파닥거리다가 숨이 멎어 버리는 스핀을 멍하니 지켜보게 될 것이다. 그렇게 된다면 차라리 내 머리에 맞는 게 나았다. 난 무시무시한 상상들을 떨쳐 버리려고 안간힘을 썼다. 문밖에서 엄마가 갈라지는 목소리로 말했다.

"안 나온다 이거지. 엄마가 그냥 있을 줄 알아? 열쇠 갖고 올 거야. 문 열리면 그때 두고 봐."

한 발 한 발 엄마의 발소리가 멀어져 갔다. 드르륵, 하고 서랍장 문이 열렸다. 열쇠 꾸러미가 짤랑거렸다. 멈출 줄 모르는 발걸음 소리가 내가 있는 곳으로 가까워졌다.

철컥. 철컥. 철컥.

방문 손잡이가 달그락거리면서 위태롭게 흔들렸다. 엄마가 열쇠를 집어넣을 때마다 동그란 문손잡이가 거친 쇳소리를 냈다. 덜커덩거릴 때마다 땅이 꺼지는 듯했다. 나는 낭떠러지로 하염없이 떨어지는 기분이 들었다. 오롯이 나 혼자 바닥에 내팽개쳐지고 나면 나를 기다리는 건 유리그릇을 집어 든 엄마일 것이다.

나는 귀를 막고 비명을 질렀다. 내 정신은 이미 멀리

달아날 준비를 하고 있었다. 단순히 출구가 없기 때문에 빠져나가지 못했을 뿐이었다. 이대로 문이 열리면 그 틈으로 내 정신도 멀리 달아나 버릴 것 같았다. 뒤도 돌아보지 않고 뛰쳐나가서 두 번 다시 이곳으로 돌아오지 못할 것이다. 그럼 스핀도 못 알아보겠지.

안녕 스핀, 안녕 배달 형, 안녕 현재, 안녕 바이킹…….

문 따는 소리가 그쳤다.

열쇠

방 너머로 핸드폰 벨소리가 울렸다. 엄마가 심호흡을 하더니 "여보세요?"라고 말했다. 나한테 하는 말은 아니었다. 나는 엎드린 채로 귀에 온 신경을 기울였다. 엄마가 조금 누그러진 목소리로 "네, 맞습니다."를 되풀이했다. 그러다 "지금요?"라고 하더니 "아니요, 지금 시간 괜찮습니다."라고 했다. 그러고 나서 한동안 말이 없었다.

엄마가 내쉰 한숨이 방 안까지 밀려 들어왔다. 열쇠 꾸러미가 요란한 소리를 내며 바닥에 떨어졌다. 벌렁거리며 널뛰던 내 마음도 그제야 가라앉았다.

"문 좀 열어 봐."

엄마가 문을 두드리며 말했다. 나는 입을 꾹 다물었다. 어둠에 익숙해지니 어항이 또렷하게 보였다. 하지만 어항 안에서 스핀이 어디쯤 있는지는 잘 보이지 않았다. 엄마가 쉰 목소리로 다시 말했다.

"문 좀 열어 보라고."

나는 어항을 뚫어져라 쳐다봤다. 시간이 조금 지나자 어항 속에서 무언가 움직이는 게 보였다. 오늘은 내가 죽는 날인 줄 알았고, 스핀도 죽는 줄 알았다. 하지만 나와 스핀은 살아 있었다. 나는 어항을 끌어안고 다시 눈을 감았다.

엄마는 더 이상 방을 두드리지도 않고 나에게 말을 걸지도 않았다. 엄마의 발소리가 방에서 멀어졌다. 엄마가 여기저기 쿵쿵거리며 걸어 다니는 게 느껴졌다. 곧 현관문이 열렸다가 닫혔다.

집 안은 고요로 가득 찼다. 집 안 가득했던 무시무시한 기운이 서서히 빠져나갔다. 나는 어항을 이불 밖으로 빼냈다. 어항에 반쯤 남은 물이 출렁거렸다. 스핀이 놀랐는지 어항 속을 부산스럽게 돌아다녔다.

"스핀, 이제 괜찮아."

내 마음이 스핀에게 전해지길 바라며 어항을 쓰다듬었다. 나는 이불을 걷어 내고 일어났다. 왼쪽 발목이 시큰거렸다. 나는 절뚝이며 방문 앞으로 다가갔다. 가슴이 욱신거리고 두 다리가 얼얼했다. 동그란 방문 손잡이를 잡고 잠갔던 문을 열었다. 현관엔 슬리퍼가 한쪽만 놓여 있었다. 나머지 한쪽은 뒤집어진 채 화장실 앞에서 나뒹굴었다. 싱크대엔 유리 조각이 굴러다녔고 방문 바로 앞엔 열쇠 꾸러미가 있었다. 엄마 신발은 현관에 없었다.

엄마가 없단 걸 확인하고 나자 다리에 힘이 풀렸다. 나는 그대로 주저앉았다. 사타구니가 뜨거워졌다. 오줌이 나오는 걸 참을 수 없었다. 나는 목청을 높여 울었다. 누구라도 들어 주길 바랐다. 경찰관 누나가 어떤 아이의 울음소리를 듣고 여기까지 찾아왔듯, 그렇게 나를 찾아 주었으면 했다. 아무래도 이 집에서 할 수 있는 게 없었다. 나 혼자서는 나를 지킬 수도 없었다. 스핀도 같이 위험해졌다. 엄마가 다시 돌아오지 않았으면 좋겠다는 생각도 처음으로 들었다.

적어도 여기서는 그랬다. 하지만 바깥이라면 모른다.

나는 바깥에서 겪었던 일들을 떠올렸다. 밖에는 현재와 배달 형이 있었다. 처음 만난 경찰관 누나도 좋아 보였다. 집 안에서 지냈던 3년보다 바깥에서 보냈던 이틀이 훨씬 편했다. 경찰관 누나가 말했던 자주 운다는 아이도 아마 집 안에서 울고 있었을 것이다. 왜인지는 모르겠지만 그런 느낌이 강하게 들었다.

어쩌면 내가 있어야 할 곳은 여기가 아닐 수도 있었다. 나는 이 문 말고 다른 문을 열어야 한다. 그래야 배달 형도 만나고, 현재와 바이킹을 타러 갈 수도 있었다. 생각할수록 뭐든 아까보다 처지가 나을 것 같았다. 나는 비틀거리며 화장실로 들어갔다. 구겨진 5천 원을 세면대에 올려놓았다. 지린내 풍기는 옷은 모조리 벗어 세탁기 안에 집어넣었다.

샤워기로 몸을 씻어 냈다. 갈비뼈 근처와 등 뒤, 허벅지와 종아리, 발가락까지 물에 닿는 부위마다 몸이 쓰라렸다. 샤워기를 끄고 거울 앞에 섰다. 한쪽 이마가 까져서 빨갰다. 두 눈 아래는 파였고, 양쪽 볼은 쏙 들어갔다. 밖으로 나가서 봤던 여느 중학생들은 나보다 더 통통했고 얼굴이 환했다. 내 얼굴은 납작한 페트병처럼 어딘가 찌그러졌고, 무언가에 잔뜩 짓눌려 있었다.

가슴속 깊이 묻어 두었던 생각을 입 밖으로 말해 보고 싶었다. 생각을 바깥으로 끄집어내야 진짜로 이루어질 것 같았다. 그러려면 아주 큰 용기가 필요했다. 나는 스핀을 떠올렸다. 처음에 나는 더러운 어항에 버려진 스핀을 구해 주고 싶어서 데려왔다. 더러운 어항 속에 꼼짝

없이 갇힌 스핀은 나랑 처지가 비슷했다. 하지만 스핀은 살아났고, 지금의 나를 살게 해 주었다. 앞으로도 스핀과 함께하려면 내가 더 강해져야 했다.

나는 큰 숨을 폐 안으로 불어 넣고 토해 내듯 말했다.

"나, 나…… 가자."

막상 말하고 나니 별것 아니었다.

나는 수건으로 몸을 닦으면서 분리수거 통을 살폈다. 엄마가 들고 나갔는지 페트병이 하나도 없었다. 나는 소주병 하나를 빼내 샤워기로 한참을 헹궜다. 그러고는 빈 소주병과 5천 원짜리를 들고 방으로 들어갔다. 방 안에 있는 장롱 문을 열어 집히는 옷으로 갈아입었다. 그런 다음 양 발바닥으로 소주병을 고정시키고 어항을 들어 좁은 소주병 입구 사이로 물을 따라 부었다. 스핀이 결코 소주병 아래로 내려갈 생각이 없다는 듯 어항에서 파닥거렸다. 하지만 나중에 어항 물이 거의 빠지자 결국 물을 따라 소주병으로 미끄러져 들어갔다. 새로운 어항으로 옮겨 간 스핀은 어리둥절해 보였다. 그런대로 스핀은 이사를 잘 마친 셈이었다.

나는 소주병을 현관 앞에 두고 다시 방으로 들어갔다. 어질러진 이불들 사이로 장롱을 뒤졌다. 쿰쿰한 냄새가 나는 엄마 옷과 내 옷들이 뒤섞여 있었다. 엄마 옷들 사이로 도장과 오래된 통장이 보였다. 우리 집에 통장이 있는지 몰랐다.

나는 통장을 열어 봤다. 엄마 이름이 적혀 있었고, 알 수 없는 글자들이 찍혀 있었는데 잉크가 흐릿했다. 통장에 찍힌 날짜는 3년 전 이사 오기 전이 마지막이었는데, 엄청나게 많은 숫자 앞에 마이너스 표시가 붙어 있었다. 엄마가 이따금 술에 취해서 마이너스 통장 얘기를 꺼냈는데 그게 무슨 뜻인지 이제는 알 것 같았다. 나는 통장을 덮어 원래 자리로 되돌려 놓았다.

내 옷도 3년 전 그대로였다. 봄가을용 긴팔 두 벌과 겨울에 입는 파카 하나, 바지는 반바지와 긴바지가 각각 두 벌씩 있었다. 원래는 더 많았는데 엄마랑 이리저리 옮겨 다니면서 잃어버리거나 버렸다. 우리 집 시간은 3년 전에 멈춰 있었다. 스핀 빼고 말이다.

내 가방은 아무리 찾아도 없었다. 초등학교 다닐 때 메고 다니던 책가방이었는데, 예전에 어차피 쓸 일이 없을 거라면서 엄마가 분리수거할 때 버렸던 게 불현듯 기억났다. 나가기 전에 짐을 꾸리려고 했는데 가방이 없다는 게 조금 서글펐다. 하지만 다시 생각해 보니 막상 가지고 나갈 것도 없었다. 나달거리는 헌 옷은 나중에 짐만 될 것 같았다.

나는 장롱 서랍을 밀어 넣고 일어나 방문을 닫고 나왔다. 몇 걸음 걷다 방문이 제대로 닫혔는지 다시 확인했다. 비스듬하게 열려 있으면 방이 나를 빨아들일 것만 같은 느낌이 들었다. 또다시 그곳에서 무서움에 떨고 싶진 않았다.

나는 현관 앞에 두었던 소주병을 집어 들고 현관문 앞에 섰다. 좁고 깊은 병 속에서 스핀이 위아래로 쉼 없이 헤엄쳤다. 나 역시 밖으로 나가면 계속해서 걸어야 할 것이다. 엄마와 밤거리를 걸었을 때처럼 말이다. 나는 스핀에게 말했다.

"스핀, 우린 나갈 거야. 어쩌면 더 어려울지도 몰라. 그래도 가야 해."

나는 스핀을 담은 소주병을 한쪽 겨드랑이에 끼웠다. 그대로 현관문을 열고 밖으로 나와 철문을 닫았다. 삐빅, 하며 저절로 문이 잠겼다.

화장실

한 걸음씩 벗어날 때마다 자신이 없었다. 하지만 집에서 무조건 멀어지는 것 말고는 다른 방법이 없었다. 놀이터를 지나쳐 빌라 골목 안으로 들어갔다. 최대한 빨리 멀어지고 싶었지만 뛸 엄두가 나지 않았다. 움직일 때마다 몸이 쑤셨다. 나는 뒤도 돌아보지 않고 무조건 앞만 보고 걸었다. 빌라 골목을 지나쳐 오른쪽으로 방향을 꺾었다. 여기서부턴 주변이 익숙했다. 며칠 전에도, 심지어 오늘도 걸었던 길이었다. 나는 소주병을 떨어뜨리지 않도록 팔에 힘을 주었다.

신호등이 파란불로 바뀌었다. 나는 도로 양옆을 살피면서 황급히 걸었다. 다 건너기도 전에 파란불이 꺼질까 봐 마음이 조마조마했다. 현재랑 건널 때는 아무렇지도 않았는데 혼자서 가려니 불안했다. 횡단보도를 건너서는 오른쪽으로 갔다. 한참을 걷다 보니 궁전 아파트 비석이 나타났다. 다른 사람의 도움 없이 여기까지 왔다는 사실에 뿌듯했다.

하지만 춥고 배도 아팠다. 아까 현재네 집에서 빵과 주스를 급하게 먹어서 그런지 편의점에서 삼각 김밥을 먹었을 때처럼 배꼽 위쪽이 쓰라렸다. 머리가 왕왕 울리고, 심장 뛰는 소리가 북처럼 크게 들렸다. 나는 비석 앞에 쭈그려 앉았다. 어떻게든 속이 편안해지기를 바랐지만 좀처럼 가라앉질 않았다. 날씨는 점점 쌀쌀해졌다. 바람을 피하려면 어디로든 자리를 옮겨야 했다. 소주병을 들여다봤다. 스핀은 출렁거리는 물에 몸을 맡기고 있었다. 나는 소주병을 손톱으로 톡톡 두드렸다. 스핀이 앞으로 다가왔다. 나는 소주병을 꽉 끌어안았다.

"미안, 우리 좀만 참자."

스핀이 담긴 소주병이 주머니 안에 든 5천 원보다 더 든든했다. 나는 자리에서 일어나 비석을 지나쳤다. 시끌벅적하고 불빛이 밝은 곳을 향해 계속 움직였다. 한참을 걸어 건물이 무척 많은 곳에 도착했다. 3층이 모두 카페로 된 건물이 제일 앞에 서 있었고, 그 뒤로 음식점이 줄

줄이 이어졌다. 네온사인이 번쩍거려서 저녁인데도 밝았다. 건물마다 쏟아 내는 시끄러운 소리도 적응되지 않았다. 오가는 무리도 많았다. 진하게 화장한 누나들이 깔깔거리며 카페에서 나왔다. 양복을 입은 아저씨들은 골목 안으로 깊숙이 들어갔다. 나처럼 혼자 돌아다니는 사람은 거의 없었다.

그때 어디선가 맛있는 냄새가 났다. 3층 건물 앞에 떡볶이 트럭이 있었다. 검은 천으로 둘러싸인 트럭 안에서 뱃살이 두둑한 아저씨가 커다란 주걱으로 떡볶이를 휘저었다. 진열된 음식들로 내 시선이 갔다. 꼬치 어묵이 담긴 통에선 김이 모락모락 났고, 떡볶이 철판 앞에는 김말이가 쌓여 있었다. 간이 책상에는 물이 채워진 생수병이 세워져 있었다. 또다시 위장에서 아릿한 통증이 느껴졌다. 아저씨가 나를 흘끗 봤다.

"뭐 줄까?"

"어묵 국물은 얼마예요?"

"국물만 어떻게 팔아. 어묵을 사야 주는 거지. 하나에 700원, 두 개 천 원."

아저씨가 걸걸한 목소리로 말하면서 꼬치에 어묵을 끼웠다. 어묵을 보고 있자니 뜨끈한 국물을 한 모금만 마셔도 소원이 없을 것 같았다. 예전에도 배달 형이 준 군만두를 급하게 먹다 배탈이 났는데 따뜻한 수돗물을 마시니까 좀 나아졌다.

나는 주머니에 든 5천 원을 매만졌다. 선뜻 말이 나오지 않았다. 처음 보는 사람은 왠지 모르게 겁이 났다. 하지만 이렇게 나온 이상 모든 것을 혼자 해야 했다. 나는 속으로 되뇌었다. 저 아저씨는 험악하게 생겼지만 팔뚝 아저씨 같은 사람이 아니다. 미니 바이킹을 태워 줬던 트럭 아저씨 같은 사람이다.

"아저씨, 택시 타면 얼마예요?"

"뭐?"

아저씨가 눈을 동그랗게 뜨고 나를 쳐다봤다. 기름에 찌든 아저씨 얼굴이 번들거렸다.

"방문각이나 궁전 중학교를 가야 해서요."

나는 눈길을 피해서 대답했다. 아저씨가 대꾸했다.

"뭔 소린지 모르겠네. 방문각은 중국집 이름이냐? 궁전 중학교는 이 근처잖아. 굳이 택시 타면 기본요금이 나오겠지."

"기본요금이 뭐예요?"

"택시 타면 기본으로 내야 하는 돈! 택시 안 타 봤어?"

"5천 원이면 갈 수 있어요?"

"별 걸 다 물어보네. 가고도 남지."

나는 트럭에 연결된 선반 위에 소주병을 올려놓고 주머니에서 꼬깃꼬깃 접힌 5천 원짜리를 꺼내 아저씨에게 건넸다.

"어묵 두 개요."

나는 아저씨가 거스름돈을 주지 않으면 어쩌나 걱정이 되었다. 만약 그렇다면 어묵 열 개를 집어 도망치거나 차곡차곡 쌓인 김말이를 쓰러뜨리겠다고 결심했다. 하지만 내 상상과 다르게 아저씨는 5천 원을 받아 복대처럼 생긴 작은 가방에 넣고, 거기서 천 원짜리 네 장을 꺼내 거슬러 주었다. 나는 4천 원을 반 접고, 또 반을 접어 주머니 깊숙이 찔러 넣었다. 아저씨가 새 종이컵을 꺼내 국자로 어묵 국물을 퍼서 내 앞에 내려놓았다.

나는 뜨끈한 국물부터 후후 불어 마시고 어묵을 씹어 먹었다. 쫀득쫀득하고 짭짤한 어묵을 삼켰더니 기분이 한결 나아졌다. 따뜻한 음식을 바로 먹어 본 지가 언젠지 기억조차 나지 않았다. 나는 순식간에 어묵 두 개를 다 먹고 아쉬워서 나무 꼬치 끝을 질근질근 씹었다. 그랬더니 아저씨가 손을 내저었다.

"다 먹었으면 내려놔. 그것도 다 쓸데가 있어."

나는 마지못해 꼬치를 내려놓고 종이컵에 국물을 가득 따라 천천히 마셨다. 얼어붙었던 몸이 조금씩 풀어졌다. 엄마에게 두들겨 맞은 부위도 아까보다 덜 아팠다.

국물을 먹는 내내 아저씨가 자꾸만 나를 쳐다봤다. 나는 일부러 신경 쓰지 않는 척했다. 어묵 국물만 다 마시면 자리를 뜰 계획이었다. 나는 스핀이 담긴 소주병을 내 앞으로 바싹 끌고 왔다. 아저씨가 내게 물었다.

"어린놈이 소주는 왜 가지고 다녀?"

"소주 아닌데요."

"소주병에 담긴 게 소주지, 그럼 뭐야?"

"이 안에 스핀이 들었어요."

나는 작은 스핀을 손가락으로 가리켰다. 그러자 아저씨가 입을 떡 벌렸다.

"웬 물고기야? 거기다 두면 나중에 죽는데."

"왜요?"

"그렇게 숨구멍을 다 막아 버렸는데 어떻게 살아? 최소한 뚜껑이라도 열어 놔야지."

아저씨 말을 듣고 속이 얹히는 줄 알았다. 나는 당장 소주병 뚜껑을 돌려서 뺐다. 스핀이 잘못되면 뚜껑 탓인 것처럼 바닥에 던져 버렸다. 나를 보면서 아저씨가 혀를 찼다.

"빨리 집에 들어가면 될 일이지. 엄마한테 가서 어항이나 사 달라고 해라. 쪼끄만 놈이 이 시간에 혼자 돌아다니면 위험해."

아저씨가 팔을 뻗어 생수병을 들었다. 난 적어도 지금은 집보다 바깥이 안전하다고 생각했지만 그런 얘기를 굳이 아저씨에게 꺼내진 않았다. 그보다도 스핀이 걱정되었다. 뚜껑을 열고 돌아다녔다가 물이 새어 나가거나 스핀이 튀어 나가면 어쩌나 싶었다. 뚜껑을 던져 버린 것이 후회되었다. 나는 아저씨가 가지고 있는 생수병을 빤히 바라봤다.

"아저씨, 생수병 빈 거 없어요?"

"있는데. 왜, 하나 줘?"

나는 고개를 끄덕였다. 아저씨도 배달 형처럼 내 생각을 읽어서 신기했다. 아저씨가 배달 형처럼 까칠해도 친절한 사람인지 모른단 생각이 드니까 마음이 놓였다. 아저씨는 고개를 숙여 트럭 안에서 빈 생수병 하나를 꺼내 들었다. 그러고는 내게 손을 내밀었다.

"병 좀 줘 봐라. 내가 넣어 줄게."

나는 떨리는 마음으로 소주병을 건넸다. 스핀이 잘못될까 봐 불안했다. 아저씨는 소주병을 가져가더니 한 손으로 생수병 입구 부분을 감쌌다. 좁은 생수병 입구 안으로 천천히 물이 쏟아졌다. 소주병에서 물이 거의 다 줄어들자 스핀이 얼마 남지 않은 물속에서 핑핑 돌다 어느 순간 플라스틱 생수병으로 똑 떨어졌다. 아저씨는 커터 칼로 통 위쪽에 구멍을 뚫었다. 그런 다음 뚜껑을 닫고 생수병을 내게 주었다.

"빨리 집에 가서 어항에 풀어 줘라. 물고기도 여기서 오래 있으면 좋을 게 못 돼."

"왜요?"

"답답하잖아. 사람도 비좁은 곳에서 오래 있으면 스트레스를 받는다고. 그렇게 좁은 데서 키우면 물고기도 오래 못 살걸."

포장마차에 교복 입은 누나 둘이 들이닥쳤다. 누나들이 아저씨에게 인사를 건네며 떡볶이와 순대를 주문했다. 아저씨가 환하게 웃으며 누나들에게 떡볶이를 퍼서 그릇에 담아 주었다. 나는 생수병을 들고 자리에서 일어나 포장마차를 빠져나왔다. 3층짜리 건물을 지나쳐 천천히 거리를 돌아다녔다. 그러고는 보이는 상가 건물마다 들어가서 1층을 훑었다. 그러다 보면 간혹 1층 문가나 구석에 쌓인 신문지를 주울 수 있었다. 건물들을 기웃거리면서 화장실도 꼭 확인했다. 냄새가 나지 않는지, 문이 잘 잠기는지, 장애인 화장실이 따로 있는지를 살폈다. 3년 전에 엄마랑 도망 다닐 때도 이렇게 했다.

나는 상가를 한 바퀴 돌면서 건진 신문지 뭉텅이를 겨드랑이에 꼈다. 그런 다음 돌아다니면서 봐 두었던 건물로 갔다. 거리 중심부에 있으면서 1층 벽이 유리로 되어 있고, 달려 있는 간판들이 새것처럼 깨끗한 건물이었다. 대리석처럼 번쩍거리는 바닥이 깔린 로비에는 엘리베이터가 두 개 있었고, 안쪽에 화장실 푯말이 달려 있었다. 나는 장애인 화장실 안으로 들어가서 문을 꼭 걸어 잠갔다. 지은 지 얼마 되지 않은 건물이라 그런지 화장실은 깨끗했다. 세면대까지 갖춰져 있었고, 쓰레기통은 비어 있었다. 그건 청소부 아줌마가 이쪽 청소를 끝냈고, 적어도 오늘은 이곳을 찾아올 일이 없다는 뜻이었다.

나는 변기 뚜껑을 덮고 그 위에 생수병을 올렸다. 화장실 문에서 멀리 떨어진 바닥에 신문지를 두둑하게 깔았다. 생수병을 다시 들어 벽 모서리에 세우고 그 옆에 머리를 뉘었다. 따로 남겨 두었던 신문지는 활짝 펼쳐 몸에 덮었다. 시큼한 잉크 냄새가 코를 찔렀지만 따뜻했다. 바닥에 눕고 나서야 내가 집을 나왔다는 사실이 실감 났다.

누운 채로 문을 바라봤다. 여긴 나와 스핀만 있는 공간이었다. 저 하얀 미닫이문으로 엄마가 들어올 일은 결코 없었다. 오늘 밤엔 엄마를 보지 않는다는 사실만으로도 숨통이 트였다.

엄마와 처음으로 떠돌이 생활을 할 때만 해도 이렇지 않았다. 엄마는 늘 내가 먼저였다. 나한테만큼은 따뜻한 밥을 챙겨 주고, 겨울에도 땀이 날 정도로 옷을 껴입혔다. 3년 전만 해도 엄마가 나를 때린다는 것을 상상조차 할 수 없었다. 그때 엄마와 나는 한 몸 같았다. 아빠랑 연락이 끊긴 이후로 엄마는 내가 엄마에게서 손톱만큼이라도 떨어지는 것을 견디지 못했다. 내가 오줌이 마렵다고 하면 다른 아줌마들의 눈총을 받으면서까지 여자 화장실로 데리고 갔다.

나는 고개를 돌려 스핀을 바라봤다. 스핀이 추울까 봐 벽 모서리에 신문지를 끼워 넣었다. 스핀에게 고마우면서도 미안했다. 내가 현재네 집에 다녀오고, 엄마에게 얻어맞고, 집을 나와 어묵을 먹는 동안 스핀은 내내 내 손에 이끌려 다니면서 굶었다. 스핀의 먹이통은 우리 집 싱크대 아래 있었다. 왜 그걸 들고 나올 생각을 하지 못했을까. 나는 내 머리를 쥐어박았다. 그러나 가장 마음에 걸리는 건 포장마차 아저씨가 했던 말이었다. 나는 스핀에게 말을 걸었다.

"스핀, 비좁은 곳에 오래 있어서 스트레스받았어?"

스핀은 하루 종일 피곤했는지 바닥에 가라앉아서 이따금 입만 벙긋거렸다. 움직임을 줄여서 최대한 에너지를 아끼는 것처럼 보였다. 나는 스핀이 계속 내 얘기를 듣고 있다고 믿으면서 또 말했다.

"나도 그랬어."

집 안에서 지내는 동안 종종 숨을 쉬어도 쉰 것 같지 않았다. 모든 물건을 부수며 소리 지르고 싶었던 적도 한두 번이 아니었다. 심지어 그게 답답한 느낌인지도 몰랐다. 내겐 선택권이 없었다. 집 밖으로 나가면 죽는 줄 알았기 때문이다. 하지만 현재를 만나고 나서 그 선택권이 내게도 있다는 사실을 깨달았다. 그냥 문을 열고 나가면 그만이었다.

나는 손가락을 뻗어 생수병을 쓰다듬었다. 괜히 마음이 찔렸다. 내가 팔뚝 아저씨를 피해 다닐 때의 엄마가 된 기분이었다. 어쩌면 엄마도 나를 목숨 줄처럼 여겼는지도 몰랐다. 지금의 스핀이 내게 그런 존재였다. 그런데 지금 엄마는 왜 나를 못살게 굴지 못해 안달일까?

갑자기 사방이 깜깜해졌다. 건물 전체에 불을 끈 모양이었다. 3년 전에 여자 화장실에서 잠들었을 때도 이렇게 전등이 나갔다. 그때나 지금이나 느닷없이 불이 꺼지는 일은 적응되지 않았다.

"스핀, 내일은 먹이통을 사서 꼭 먹이를 줄게."

나는 스핀에게 속삭이고 어둠 속에 몸을 파묻었다.

물방울 

이럴 줄 알았으면 늑장을 부릴 걸 그랬다. 궁전 중학교에선 한 시간이 넘도록 아무도 나오지 않았다. 혹시나 학교가 일찍 끝나 현재를 놓칠까 봐 서둘렀는데 그럴 필요가 하나도 없었다. 오는 길에 포장마차에 들러 아저씨에게 궁전 중학교 가는 길을 물어보고 빠른 걸음으로 왔건만, 학교에선 애들이 나올 낌새조차 없었다.

오늘 아침에 설사를 세 번이나 해서 다리가 후들거렸다. 나는 학교 정문에서 쭈그리고 앉아 잠깐 쉬었다. 그러다 일어나서 학교 울타리 밖을 한 바퀴 돌고 다시 정문으로 와서 기다렸다. 안으로 들어가려고 했는데 수위 아저씨가 와서 외부인은 출입 금지라며 막았다. 현재 친구라고 몇 번이나 말했는데도 아저씨는 손을 내저었다.

기다리느라 좀이 쑤실 즈음, 드디어 한 명이 건물 밖으로 튀어나왔다. 교복 치마를 입은 여자애가 긴 머리를 흩날리며 교문 밖으로 내달렸다. 나는 스핀이 담긴 페트병을 들고 말했다.

"스핀! 저거 봐. 이제 곧 현재가 나올 거야."

집을 나온 이후로 스핀은 바닥 쪽에 가라앉아 있었다. 배가 고파서인지 좁은 곳에 갇혀서인지 스핀은 움직임이 확 줄었다. 그게 내 탓 같아서 미안하고 속상했다.

"현재 만나면 꼭 먹이통부터 사러 갈게. 좀만 기다려, 알았지?"

나는 스핀이 추울까 봐 페트병을 옷 속에 집어넣고는 고개를 빼서 정문을 쳐다봤다. 교복을 입은 아이들이 학교에서 쏟아져 나왔다. 운동장은 아이들이 떠드는 소리로 가득 찼다. 나는 저 소리들 중에 현재 목소리가 섞여 있는지 확인하려고 귀를 기울였다.

현재가 멀리서 느린 걸음으로 나오고 있었다. 나는 현재를 보자마자 크게 불렀다. 현재가 나를 보더니 곧장 달려왔다. 현재는 아래위로 나를 훑어보며 인상을 찌푸리더니 손가락으로 내 머리통을 가리켰다.

"이마는 왜 그래?"

나는 어깨를 으쓱했다. 오늘 아침에 거울을 보니 어제 맞은 이마가 부어올랐다. 만지면 욱신거렸지만 그냥 두면 아무렇지도 않았다.

"인사해. 스핀이야."

나는 현재 앞으로 페트병을 들었다. 빨리 스핀을 소개하고 싶었다. 현재는 나와 스핀을 번갈아 쳐다봤다.

"어? 어, 안녕. 스핀 보여 주고 싶어서 여기까지 온 거야?"

"아니, 나 집 나왔어."

현재는 나보고 조용히 하라고 말하더니 주위를 두리번거렸다. 그러더니 내 팔짱을 끼고 빠른 걸음으로 학교에서 멀어졌다. 나는 현재를 따라가면서 어제 있었던 일을 얘기했다. 엄마가 열쇠로 문을 따려고 했다는 대목에선 현재가 울상을 지었고, 어젯밤 화장실에서 잤다니까 "말도 안 돼!"라고 외쳤다.

현재와 나는 횡단보도 앞에 섰다. 맞은편에 궁전 아파트 비석이 보였다. 나는 다른 얘기를 꺼냈다.

"스핀 먹이를 사야 해. 스핀은 아무것도 못 먹었어."

"지금 그게 중요한 게 아니야. 너 빨리 병원부터 가야지! 발목도 시큰거린다며."

"스핀이 예전만큼 움직이지 않아."

"살던 환경이 갑자기 달라져서 그렇겠지. 물고기는 아무것도 안 먹어도 3일은 살아. 우리 아빠가 키우는 열대어도 그랬어."

"열대어?"

"아빠가 서재에서 키우시는데 며칠 동안 여행 갔다 와도 멀쩡히 살아 있던데?"

나는 주머니 속 돈을 만지작거렸다. 먹이통 값을 아끼면 오늘 저녁에 어묵 두 개를 또 먹어도 돈이 남았다.

"현재야, 물고기 먹이 나눠 주면 안 돼?"

"당연히 되지. 근데 오늘은 집에 엄마가 계셔서 못 들어와. 밖에서 기다리면 내가 집에 가서 먹이통만 들고 나올게."

"응."

신호등 불이 초록색으로 바뀌었다. 나는 현재와 함께 횡단보도를 건너 궁전 아파트 단지로 들어갔다. 가는 도중에 현재는 몇 번이고 병원에 가자고 설득했다. 빨리 치료를 받아야 고생하지 않는다며 자기가 돈을 낼 테니 꼭 가자고 재촉했다. 나는 병원을 가지 않아도 항상 멀쩡했으니까 괜찮다고 대꾸했다. 현재가 자기 말은 왜 듣지 않느냐고 투덜대면서 아파트 안에 있는 놀이터를 지나쳤다. 놀이터 옆 정자에서 몇몇 아이가 모여 수다를 떨고 있었다. 그중에 하나가 이쪽으로 고개를 기웃거리더니 아는 체를 했다.

"어?"

나는 그 자식이 누군지 단번에 떠올렸다. 현재를 밟고 그네를 타던 송곳이었다. 머리를 한껏 추켜세운 송곳이 우리를 보며 히죽거렸다. 그 뒤로 빡빡머리와 또 다른 애가 보였다. 넘어진 현재를 핸드폰으로 촬영하던 놈이었다. 빡빡머리가 손가락으로 나를 가리켰다.

"저 새끼 그때 돌 던진 새끼 맞지?"

세 사람이 우리 쪽으로 다가왔다. 패거리를 본 현재는 얼굴이 하얗게 질렸다. 나는 현재 팔목을 붙잡았다.

"뛰어!"

나와 현재는 반대편으로 내달렸다. 발자국 소리가 길바닥을 울렸다. 뛸 때마다 페트병 위쪽으로 물방울이 튀었다. 나는 물이 샐까 봐 위쪽을 손바닥으로 막았다.

아무리 최선을 다해 달려도 패거리와 거리는 금세 좁혀졌다. 현재도 나도 느렸다. 한 번도 뒤돌아보지 않았지만 녀석들의 목소리는 점점 더 크게 들려왔다. 숨이 차지도 않는지 그 애들은 달리면서도 우리를 향해 무어라 외쳤다.

현재가 점점 뒤처졌다. 현재보다 빨리 달렸다가 혹시라도 현재가 자기를 두고 갔다고 속상해할까 봐 신경 쓰였다. 나는 현재와 보폭을 맞추려고 걸음을 늦췄다. 그때 누군가 목덜미를 거칠게 움켜잡았다. 자칫하면 페트병을 떨어뜨릴 뻔했다. 나는 한 손으로 녀석의 손을 뿌리치려고 애썼다. 현재가 뒤를 돌아보자마자 송곳이 현재에게 달려들었다. 현재와 송곳이 한 몸처럼 뒤엉켰다.

나는 현재를 막아 주고 싶었지만 그럴 수 없었다. 빡빡머리가 넘어진 나를 발로 몇 번이나 걷어찼다. 패거리는 나와 현재를 끌고 갔다. 아까 패거리가 서 있던 정자에 오고 나서야 목덜미가 느슨해졌다. 등받이 없는 의자가 네 면에 하나씩 놓여 있었고, 그 위로 나무 지붕이 햇볕으로부터 의자를 가려 주었다. 정자 주변으로 빈 맥주캔과 담배꽁초가 굴러다녔다. 패거리는 나와 현재를 구석에 몰아넣었다.

"와, 드디어 잡았다. 받은 대로 갚아 줘야지."

빡빡머리가 대뜸 나를 밀쳐 넘어뜨렸다. 나는 바닥에 쓰러지면서 페트병을 놓치고 말았다. 옆으로 떨어진 페트병이 데굴데굴 굴러갔다. 나는 페트병을 주우려고 손을 뻗었는데 송곳이 내 얼굴에 주먹을 꽂았다. 입에서 피 맛이 났다.

"너 때문에 이 몸의 귀한 팔에 멍이 들었단 말이다. 존나 너 찾으려고 반 전체를 뒤졌는데 안 보이더라, 시발."

송곳은 내가 일어날 틈도 주지 않고 주먹질을 했다. 어느 순간 귀가 먹먹해져서 아무것도 들리지 않았다. 나는 정신을 차리려고 애썼다. 옆에서 현재가 소리쳤다.

"그만둬! 너희, 선생님한테 다 이를 거야!"

현재의 말에 다른 애들이 낄낄거렸다. 송곳은 현재를 향해 몸을 틀었다. 그러더니 현재 가방을 뒤지면서 욕을 퍼부었다. 패거리가 현재에게 눈을 돌린 사이, 나는 가까스로 땅에 손을 짚고 페트병이 있는 데까지 기어갔다. 페트병은 윗부분이 찌그러졌고, 물이 새어 콘크리트 바닥을 적시고 있었다. 스핀은 페트병 안에서 빙빙 돌았다. 나는 페트병을 들어 품에 안았다.

차츰 주위 소리가 다시 들려왔다. 핸드폰으로 촬영하던 애가 송곳을 말렸다.

"그만하라고. 적당히 패야 나중에 걸려도 티가 안 난다니까. 잠깐만, 나 사진 좀."

그 애는 핸드폰을 들더니 넘어진 내 모습을 카메라로 찍었다. 그러더니 사진을 내게 보여 주며 말했다.

"너 학교 어디야? 5만 원 들고 오면 사진 지워 줄게. 아니면 전교에서 개쪽 당하든가. 돼지처럼."

사진 속 나는 색이 바랜 녹색 윗옷에 흙먼지가 잔뜩 묻은 검정 바지를 입고 있었고, 얼굴은 피범벅이었다. 내 모습이 걸레짝 같았다. 엄마에게 맞았던 부위가 가라앉지도 않은 데다 송곳에게까지 걷어차이니 몸에 난 구멍이란 구멍에서 전부 신음 소리가 나오는 듯했다. 송곳이 나를 보더니 허리를 숙였다.

"이 새끼, 페트병 들고 있네. 여기에 뭐라도 들었냐?"

송곳이 페트병에 손을 뻗으려고 했다. 나는 등을 돌려 스핀을 보호했다. 그러자 패거리가 또 비웃었다.

"뭐냐? 병신, 지랄하네. 소주라도 넣었냐? 야, 좋은 거면 우리 좀 줘 봐."

송곳이 내게 달려들어 뒤에서 내 팔을 풀려고 했다. 그럴수록 나는 온몸에 힘을 주었다. 나중엔 송곳이 욕을 퍼부었고, 급기야는 내 머리통을 손으로 갈겨 대기 시작했다. 마치 작은 미사일에 맞은 것처럼 사방에서 따가운 통증이 일었다.

페트병 안에서 물이 심하게 출렁거렸다. 페트병에서 튀어나온 물방울들이 내 가슴을 적셨다. 나는 혹여나 구멍으로 스핀이 튀어나오지 않도록 몸을 한껏 웅크렸다. 스핀이 무사하기만을 바랐다. 점점 숨이 제대로 쉬어지지 않았다. 아득히 오토바이 소리가 들렸다.

"야이 새끼들아, 뭐 하는 짓이야!"

익숙하고 정겨운 목소리가 이곳으로 달려오고 있었다. 송곳이 내게서 멀어졌다.

사방이 차갑고 공허했다.

미성년자

시큼한 소독약 냄새가 코를 찔렀다. 나는 그대로 누워서 자고 싶었지만 간신히 눈을 떴다. 옆에서 누군가 자꾸 콧물을 훌쩍거렸기 때문이다. 사방이 흐릿했다. 바로 위에서 눈 부신 빛이 내리쬐고 있었다. 눈을 제대로 뜰 수 없었다. 훌쩍거리던 사람이 내 팔을 붙잡고 흔들었다.

"일어났다! 영유야, 나 보여?"

둥그런 얼굴이 왼쪽에서 불쑥 튀어나왔다. 제대로 보이진 않았는데 목소리를 들어 보니 현재였다. 나는 고개를 끄덕였다. 여기가 어디냐고 물어보려 입을 열었다. 그런데 목소리가 나오지 않았다. 나는 입만 벙긋거리며 '어디야?'라고 반복해서 물었다. 현재가 내 입을 한참 보다가 말했다.

"응급실이야. 어떤 형이 오토바이 타고 나타나서 그 자식들을 주먹으로 패 버렸어. 그 형 장난 아니더라. 셋이서 덤비는데도 형이 다 박살 냈어. 그동안 내가 경찰에 신고했지. 근데 그사이에 네가 정신을 잃은 거야. 그래서 경찰차를 타고 여기로 왔어. 걔들은 그대로 경찰서 끌려갔고. 근데 그 경찰차가 오니까 그 형이 어디론가 갔는데……."

현재가 말을 쏟아 놓는 동안 나는 눈을 계속 깜빡거렸다. 눈을 감았다가 뜰수록 시야가 또렷해졌다. 침대 주변으로 허여멀건 커튼이 둘러져 있었다. 나는 다시 현재 얼굴을 제대로 봤다. 현재는 한쪽 코에 휴지를 집어넣었고, 한쪽 입가가 부어 있었다.

문득 무언가 계속 잊고 있었단 생각이 들었다. 나는 링거 바늘이 꽂힌 손으로 현재 팔을 잡았다. 입을 열었지만 여전히 목소리가 나오지 않았다. 몇 번이나 시도한 끝에 겨우 소리를 냈다.

"스, 스."

"스? 스핀 얘기하는 거야? 그 물고기 여기 네 옆에 있어. 얘도 멀쩡해."

현재가 페트병을 내 앞에 들이밀었다. 물이 꽉 찬 페

트병 안에서 스핀이 원을 그렸다. 내가 마지막으로 봤을 때만 해도 페트병에 물이 반도 남지 않았는데, 이상했다. 나는 현재에게 다시 물었다.

"무, 물이 많아."

"물이 많다니? 아, 물이 거의 없어서 내가 좀 채웠어."

나는 고맙다는 뜻으로 현재 손을 꽉 쥐었다. 나중에 병원을 나서면 남은 돈으로 현재에게 꼭 어묵을 사 줘야겠다고 마음먹었다.

"넌? 너도 아프잖아."

"난 링거 맞을 정도는 아니야. 의사 선생님이 너 눈 뜨면 알려 달라고 했는데. 선생님 불러올게."

현재가 일어나 커튼을 열고 나가 버렸다. 내 옆에서 스핀은 춤추듯 꼬리를 흔들면서 위로 아래로 활기차게 헤엄쳤다. 나랑 스핀만 있으니까 화장실에 누워 있는 기분이었다. 나는 스핀이 있는 페트병으로 손을 뻗었다. 손등에 종이테이프가 덕지덕지 붙어 있었다. 손가락을 움직이자 손등의 어느 한 부분이 따끔거렸다. 예전에 텔레비전에서 주삿바늘을 손에 꽂는 장면을 봤던 게 떠올랐다. 저걸 어떻게 꽂나 겁이 났는데 그게 나도 모르는 사이에 꽂혀 있었다. 신기해서 손을 이리저리 돌려 봤다.

나는 계속 목도 가다듬었다. 문득 이러다가 목소리가 아예 나오지 않을까 봐 걱정됐다. 처음엔 '아, 아.' 하다가 나중에 스핀, 현재, 형과 같은 단어를 반복해서 말했다. '어묵 꼬치'라는 단어를 두 번쯤 되뇌었을 때 현재가 커튼을 걷고 들어왔다. 그 뒤로 하얀 가운을 입은 의사 선생님이 따라왔다. 의사 선생님이 웃으며 인사했다.

"안녕, 몸은 좀 어떠니?"

나는 의사 선생님에게 인사하려고 몸을 일으켰다. 움직일 때마다 허리와 엉덩이가 시큰거렸다. 인상을 찌푸리니까 선생님이 손을 저었다.

"일어나지 않아도 된다. 수액 다 맞을 때까지는 그대로 누워 있는 게 좋아."

나는 의사 선생님 말을 듣고 얌전히 누워서 천장을 바라봤다. 의사 선생님은 내 이마를 짚어 보고 청진기로 배를 눌렀다. 옆구리와 허벅지도 손으로 지그시 눌러 가면서 어떠냐고 물었다. 나는 선생님이 만질 때마다 아파서 소리를 질렀다.

"정말 오래 참았구나. 얼마나 스트레스가 심했으면 영양실조가 올 만큼 먹지도 못했니. 앞으로는 절대 참지 말거라. 학교 선생님께 바로 말씀드리렴. 그 녀석들은 너를 오랫동안 폭행한 죄로 아마 전학을 가게 될 거다."

"전 학교를 안 다녀서 선생님이 없어요."

"학교를 다니지 않는다고?"

의사 선생님이 안경을 올리며 물었다.

"그 친구들이 같은 학교라서 오랫동안 너를 때리고 괴롭힐 수 있었던 거 아니었니?"

"맞은 건 오늘이 처음이에요."

"그럴 리 없어. 이 상처들은……."

의사 선생님은 내 종아리를 살짝 들어 보기도 하고, 팔목을 이리저리 돌려 보기도 했다. 커튼이 또 열렸다. 머리를 하나로 묶은 경찰관 누나가 들어왔다. 누나가 날 보더니 입을 반쯤 벌렸다.

"너 그때……."

의사 선생님이 경찰관 누나에게 가서 귓속말을 했다. 경찰관 누나가 심각한 표정으로 고개를 끄덕이곤 나를 쳐다봤다.

"영유야, 학교 안 다니는 거였어?"

"이사 오기 전엔 다녔어요."

"전에 다닌 학교 이름은 기억나?"

내가 초등학교 이름을 대자 경찰관 누나는 수첩을 꺼

내 무언가를 휘갈겼다. 누나는 내가 모르는 것만 골라서 물어봤다. 아빠가 어디에서 무엇을 하는지, 엄마는 일을 구했는지, 엄마 핸드폰 번호가 뭔지. 나는 아무것도 알지 못했다. 경찰관 누나의 눈썹 사이로 세로 주름이 깊게 파였다.

"영유야, 이제는 솔직하게 말해 줘. 다른 데서 오랫동안 괴롭힘을 당한 적이 있니? 의사 선생님이 그러셨어. 영유 몸에 난 상처는 하루 이틀 사이에 난 게 아니래. 어머니는 네가 여기 있는 거 아직 모르시지?"

드디어 경찰관 누나는 내가 아는 질문을 했지만 대답하고 싶지 않았다. 목구멍이 꽉 막혀 버렸다. 나는 괜히 딴청을 피웠다. 눈을 돌려 스핀을 쳐다보거나 생각하는 척을 했다. 그랬더니 의사 선생님이 말했다.

"우선 저하고 먼저 얘기 나누시죠. 어차피 지금 영유는 기력이 약해서 오래 얘기하면 버거울 겁니다."

경찰관 누나는 마지못해 일어나더니 내게 이따 보자고 말한 뒤 커튼을 걷고 나갔다. 커튼 너머로 나처럼 누워 있는 사람이 언뜻 보였다. 다리에 붕대를 칭칭 감은 남자애가 서럽게 울었다. 의사 선생님이 현재에게 말했다.

"영유가 수액을 다 맞으려면 시간이 좀 걸릴 거야. 그때까지 옆에서 지켜 주겠니?"

"네."

"그래, 상황이 여러모로 좋지 않구나. 부탁한다, 곧 다시 올게."

의사 선생님이 현재 어깨를 두드리고는 커튼을 젖히고 나갔다. 내가 현재에게 말했다.

"너 학원은?"

"네가 지금 이렇게 아픈데 그게 중요해? 학원 선생님한테는 따로 문자하려고. 학원 선생님은 내가 친구 있는 거 알면 응원해 주실 거야."

"선생님이랑 친해?"

"우리 형도 같은 학원 다녀서 학원 선생님이 엄마를 잘 아시거든. 가끔 내가 말한 거 비밀로 해 주셨어. 그보다 너, 배 안 고파?"

"배고파. 막 어묵 꼬치가 떠다녀."

"퇴원하면 분식집부터 가야겠다. 그래도 지금은 어묵 같은 거 먹으면 안 된대. 죽같이 부드러운 거 먼저 먹어야 한다고 의사 선생님이 그랬어."

"아쉽다."

나는 입맛을 다셨다. 얼른 죽을 먹은 다음 어묵을 다섯 꼬치 정도 빼 먹고 싶었다. 응급실은 조용한 곳이 아니었다. 어린아이가 서럽게 울고, 어떤 아줌마가 앓는 소리를 냈다. 알 수 없는 비명이 커튼을 비집고 들어왔다. 패거리한테 얻어맞은 등짝이 얼얼하고 팔다리가 계속 저릿했지만, 나는 비명까지 지를 정도는 아니었다.

그때 한 남자 목소리가 유난히 크게 들려왔다. 그 남자는 다른 사람들하고 말싸움을 벌였다. 현재가 커튼을 살짝 걷어 밖을 내다봤다. 나도 궁금해서 고개를 뺐다. 헬멧을 한쪽 팔에 끼운 배달 형이 가운 입은 사람들에게 화를 내고 있었다. 현재가 깜짝 놀라며 말했다.

"영유야, 저 형이야! 오토바이 타고 왔다는 그 형!"

"형! 형!"

나는 최대한 크게 형을 불렀다. 그러자 형이 내가 있는 곳으로 눈을 돌렸다. 형은 자신을 가로막는 직원들을 밀쳐 냈다. 내가 아는 사람이라고 하자 직원들이 자리에서 떠났다. 배달 형은 커튼 안으로 들어오자마자 내 얼굴과 팔, 옆구리와 다리를 매만졌다. 그러더니 소리를 질렀다.

"야! 어디서 그렇게 얻어터지고 다니래? 이게 뭐야. 네 몸 알아서 잘 챙기라고 했어, 안 했어? 내가 그 근처 안 지나갔으면 어쩔 뻔했냐고!"

나를 다그치는 배달 형 눈이 벌겠다. 형 눈을 보자 뜨거운 덩어리가 배 속에서 목구멍까지 올라왔다.

"형……."

"집을 나왔으면 곧장 중국집으로 와서 나를 찾았어야지! 경찰에 걸리면 다시 집으로 들어가야 한다고!"

형이 갑자기 말을 멈췄다. 그러더니 주머니에서 핸드폰을 꺼냈다. 핸드폰에서 진동이 울렸지만 형은 도로 주머니에 핸드폰을 넣어 버렸다. 형이 아까보다 누그러진 목소리로 현재에게 물었다.

"네가 현재라는 애냐? 영유 또래 친구. 넌 괜찮냐?"

"네. 아까는 정말로 감사했습니다."

"됐어. 깍듯하게 인사할 필요 없고. 내 전화번호 알려 줄게. 영유 퇴원하면 여기로 전화해라. 알았냐? 경찰은 네가 알아서 잘 따돌리고."

"경찰관 누나가 영유 도와준다고 하셨는데요?"

"돕긴 개뿔. 어떻게 되는지 알려 줄까? 경찰이 재를 데리고 집으로 갈 거야. 그럼 자식을 저 지경으로 만든 엄마한테 '당신이 자녀를 때렸습니까?' 같은, 병신 같은 질문을 할 거라고. 그런 다음에 자신의 임무를 다 마친 경찰은 영유를 그 끔찍한 집에 들여보내고 자기 혼자 유유히 퇴근하겠지. 빌어먹을 조사가 아직 안 끝났고, 영유는 자신을 두들겨 팬 부모에게 보호라는 걸 받아야 하는 미성년자니까. 경찰은 재 편이 아니야."

배달 형은 "돌겠네."라고 중얼거리면서 진동이 울리는 핸드폰을 손에 꽉 쥐었다. 현재는 한마디도 하지 않았다. 형 말을 들으니 경찰관 누나와 놀이터에서 잠깐 얘기 나눴던 게 떠올랐다. 그때 경찰관 누나가 나를 두고 그냥 돌아서지 않았더라면 어떻게 되었을까, 하는 상상이 잠깐 들었다. 그런데 나는 형 말을 들으면서 아까부터 궁금했던 것이 있었다.

"형은 이런 거 어떻게 알아?"

"예전에 겪어 봤으니까 그렇지. 나 화상 입은 거 기억나? 그거 경찰 손에 붙들려 집에 간 지 얼마 안 됐을 때 생긴 거야."

"그럼 이제 어디서 살아?"

"친구네 여기저기 떠돌다가 같이 배달하는 형 집에 자리 잡았지. 내가 그 꼴을 당했는데 또 집으로 들어갈 순 없잖아. 난 몇 년 참으면 성인이니까 그때까지만 피하면 돼. 근데 지금 그게 중요해? 너 진짜, 내가 그때 궁전 아파트로 그릇 찾으러 안 갔으면 어휴……."

그러고 보니 궁전 아파트 정자에서 오토바이 엔진 소리를 들었던 기억이 났다. 형은 한숨짓더니 일어나서 마침내 핸드폰 버튼을 눌렀다. 그러고는 "지금 가요."라고 말하더니 핸드폰을 꺼 버렸다.

그때 커튼이 홱, 하고 젖혀졌다. 의사 선생님이 아니라 경찰관 누나와 처음 보는 경찰관 아저씨였다. 아저씨는 누나보다 훨씬 나이가 들어 보였다. 경찰관 누나가 형을 보더니 손가락으로 가리키며 말했다.

"너는 그때 봤던……. 야! 너 맞지? 2년 전에 가출한 걔. 이름이 뭐더라……."

"아, 뭔 소리 하는 거예요."

형이 빨리 커튼을 열고 나가려고 했다. 그러자 아저씨가 형 팔을 움켜잡았다. 형이 팔을 뿌리치려고 했지만 아저씨 손아귀에서 벗어나지 못했다. 아저씨가 말했다.

"드디어 찾았네! 너 이놈 새끼, 네 아버지가 널 얼마나 찾는지 아냐?"

"아이 씨, 이거 놔요!"

"놓긴 뭘 놔. 미성년자가 밖에 돌아다니면 얼마나 위험한 줄 알아? 넌 짜장면집이 아니라 나랑 경찰서로 가야겠다. 부모님 속 썩이는 것만큼 큰 죄도 없다."

"이것 좀 놓으라고요. 나 배달 일 잘리면 아저씨가 책임질 거예요? 누가 잘못했는지 알지도 못하면서."

경찰관 아저씨는 다짜고짜 형을 붙잡고 바깥으로 나갔다. 경찰관 누나는 나에게 "다시 올게."라고 말하고는 경찰관 아저씨 뒤를 따라나섰다. 나는 형이 곤란해졌을까 봐 걱정되었다. 마음 같아서는 따라가고 싶었는데 그럴 힘이 나질 않았다. 현재가 일어나서 활짝 열린 커튼을 친 다음 내 곁에 앉았다. 내가 말했다.

"형한테 안 좋은 일이 생긴 걸까?"

"모르지. 그보다도 넌, 네 걱정이나 해. 이제 어떻게 할 거야?"

집

나는 스핀의 페트병을 바라봤다. 스핀은 페트병 중간 부분에서 입을 뻐끔거리며 돌아다녔다. 나는 페트병을 손가락 끝으로 건드렸다. 스핀이 손가락을 향해 다가왔다. 나는 손가락을 페트병에 대고 위에서부터 아래로 끌어 내렸다. 스핀이 손가락을 따라 밑으로 헤엄쳤다. 그걸 보고 현재가 말했다.

"물고긴데 너를 꽤 따르나 봐."

"아마 밥 주는 줄 알 거야."

스핀은 이렇게까지 오래 굶은 적이 없었다. 현재 말대로 물고기는 3일 동안 밥을 먹지 않아도 산다지만 배고픈 건 또 다른 문제였다. 나도 이틀간 물만 먹고 버틴 적이 있었는데 그때는 누가 먹다 떨어뜨린 사탕도 삼킬 자신이 있었다. 스핀이 움직이는 게 힘이 넘쳐서가 아니라 살기 위해 몸부림을 치는 것처럼 느껴졌다.

현재가 의자를 뒤로 빼면서 일어났다.

"잠깐 화장실 좀 다녀올게. 아까 그 형이 왔을 때부터 마려웠어. 혹시 필요한 거 있어? 휴지나 물이나."

"없어, 괜찮아."

현재가 내 대답을 듣자마자 부리나케 커튼을 걷고 나갔다. 나는 커튼 너머를 구경했다. 아까 고래고래 소리 지르던 남자아이는 없고 그 자리에 할머니가 있었다. 나는 위로 고개를 돌렸다. 우유처럼 뽀얀 수액은 반이 좀 안되게 남아 있었다. 수액을 다 맞고 나면 의사 선생님 말대로 이곳을 나가야 했다. 배달 형 말대로라면 경찰관 누나와 함께 집에 가게 될 것이었다. 형이 한 말이 자꾸 걸렸다. 경찰은 내 편이 아니라는 말, 나는 또 집에 남겨질 거란 말이 마음속에 무겁게 내려앉았다.

계속 누워 있어서인지 노곤했다. 이불은 푹신했다. 신문지를 덮고 잘 때보다 훨씬 포근했다. 이렇게 계속 누워만 있고 싶었다. 긴장이 풀려서 그런지 엄마가 궁금해졌다. 집에서 나올 때만 해도 엄마가 무작정 싫었는데 지금은 그 정도까진 아니었다. 나는 몸을 옆으로 틀어 스핀을 바라봤다.

"스핀, 집에 가면 엄마가 또 화낼까? 날 오랫동안 못 봤으니까 화가 난 걸 까먹었음 참 좋을 텐데."

어쩌면 엄마가 나를 미워하는 것만은 아닐지도 몰랐다. 스핀이 물 밖으로 뛰쳐나갔을 때 내가 화를 낸 건 스핀이 죽을까 봐 겁났기 때문이었다. 엄마가 나를 집 밖으로 못 나가게 하는 것도 비슷한 이유가 아닐까? 그렇다면 그건 엄마가 나를 마냥 미워한다는 뜻이 아니었다.

"학교도 수위 아저씨가 지켜 주고, 집 밖도 생각보다 안전하다고 말하면, 엄마가 달라지지 않을까?"

나는 페트병 속을 가만히 들여다봤다. 자세히 보니 페트병 안에 까만 모래 알갱이들이 둥둥 떠다녔다. 정자에서 페트병이 넘어졌을 때, 모래나 먼지가 들어간 모양이었다. 스핀이 모래를 삼켰다가 뱉었다. 그러고는 얼마 안 있어 또 모래를 먹었다가 토해 냈다. 그걸 보니 마음이 찡했다.

"스핀, 집에 가면 먹이통 있어."

먹이통이란 말을 들어서인지 스핀이 꼬리를 파르르 떨었다. 곧이어 현재가 어깨로 커튼을 밀치며 들어왔다. 손에 묵직한 봉지를 들려 있었다. 현재는 봉지를 침대 가장 자리에 내려놓고는 봉지에서 네모난 통을 꺼냈다.

"이게 뭐야?"

"야채 죽. 큰 병원이라 그런지 죽도 팔더라고."

뚜껑을 열자 뜨거운 김이 피어올랐다. 현재는 내게 플라스틱 숟가락을 건넸다. 나는 현재와 함께 죽을 나눠 먹었다. 뜨끈한 죽이 배 속으로 미끄러졌다. 너무 맛있어서 입천장이 까지는 것쯤은 아무것도 아니었다. 죽 통이 금세 바닥을 드러냈다. 숟가락으로 바닥을 싹싹 긁고 있는데 현재가 자기 숟가락을 입으로 쪽 빨고 나서 말했다.

"어떻게 할지 정했어? 수액 다 맞으면 여기서 나가야 하잖아. 아까 복도 지나가면서 경찰 누나 봤는데 한참 통화하더라."

"응, 결정했어."

"그래. 그 배달하는 형 말이야. 막상 여기서 보니까 껄렁껄렁한 게 못 미덥긴 한데, 너희 집에 가는 것보단 나을 것 같아."

"집에 갈 거야."

나는 죽 통에 들러붙은 밥알을 긁어모은 숟가락을 쪽쪽 빨았다. 현재가 벙한 표정으로 나를 쳐다봤다.

"미쳤어? 지금 집에 들어가면 오늘이 너 제삿날이 될

수도 있어. 아까 걔들한테 머리를 얻어맞아서 네가 판단을 잘못하는 거야. 내 말을 들어야 해."

"나 제정신이야. 배부르게 먹었잖아."

"네가 몰라서 그렇지! 아까 잠들어 있을 때 의사 선생님이 네 상태가 아주 심각하댔어. 이대로 두면 네 목숨이 위험해진다고 했단 말이야. 성장 속도도 늦고, 뇌 발달 속도도 더디댔어."

"엄마한테 할 말 있어. 이제 내 맘대로 집에서 나가겠다고 얘기할 거야."

"잘도 그렇게 되겠다."

"그래도 가야 해."

집에 스핀 먹이통이 있어, 라는 말까진 하지 않았다. 그 말을 했다면 현재에게 한 대 얻어맞을 게 분명했다.

°。°°。°

경찰관 누나가 나를 조수석에 태우고 시동을 걸었다. 창밖에서 현재가 손을 흔들어 주었다. 나와 가는 길이 달라서 우리는 병원에서 헤어져야 했다. 내일 일찍 우리 집으로 오겠다고 약속한 현재는 반대 방향으로 걸어가면서도 몇 번이고 경찰차 쪽을 뒤돌아봤다.

경찰차가 병원에서 벗어나고 있었다. 길을 가던 사람들이 경찰차를 흘끔 쳐다봤다. 나도 덩달아 사람들을 구경했다. 누나가 운전을 하면서 말했다.

"뒷좌석에 태웠으면 너를 범죄자로 생각했을 거야. 경찰차가 지나가면 범죄자가 누군가, 하고 쳐다보는 사람들이 종종 있거든. 넌 이 동네 사니까 더 조심해야지."

나는 고맙다는 표시로 누나에게 고개를 꾸벅 숙였다. 문득 배달 형이 생각났다. 잘못한 건 형 아빠인데 형이 경찰을 피해 다녀야 한다니 안타까웠다.

나는 페트병으로 고개를 돌렸다. 허벅지 사이에 끼워 둔 페트병의 물이 약간씩 출렁거렸다.

"집에 도착하려면 멀었어요?"

"차를 탔으니까 금방 갈 거야. 10분도 안 걸릴걸. 왜? 집에 빨리 가고 싶어?"

"스핀이 어지러울까 봐서요."

"스핀이 누군데?"

나는 손가락으로 페트병을 가리켰다. 잠깐 고개를 돌려 스핀을 본 경찰관 누나가 말했다.

"오, 이름이 있는 물고기는 처음 본다. 너 같은 주인도 만나고, 그 물고기 엄청 복받았네."

"스핀은 제 동생이에요."

경찰차가 빌라 골목 안으로 들어섰다. 걸어 다닐 때만 해도 몰랐는데 차에 타서 지나가니 골목이 좁았다. 차 한 대가 들어갔을 뿐인데 골목이 꽉 찼다. 이제야 정말로 집에 가고 있다는 사실이 실감 났다. 괜히 집으로 온다고 했나 후회도 들었다. 심장이 쿵쾅거리는 소리가 귀에 들리는 듯했다.

나는 심호흡을 하면서 집에 가기로 한 이유를 되새겼다. 엄마에게 전할 말이 있었다. 이제 나는 나가고 싶을 때 나가서 그네를 탈 거라고, 현재처럼 학교를 다니고 싶다고 말하고 싶었다. 엄마에게 말도 없이 집을 나간다면 배달 형처럼 경찰을 피해 다니며 살아야 할 것이다. 나는 잘못한 게 없었다.

그동안 나는 어항 속 스핀처럼 집 안을 맴돌며 분리수거를 하러 나가는 날을 기다렸다. 하지만 그럴 필요가 없었다. 나는 어항 속에서만 사는 물고기가 아니다.

경찰차가 빌라 앞에 멈춰 섰다. 나는 심호흡을 한 다음 차에서 내렸다. 싸늘한 바람이 뺨을 스치고 지나갔다. 나는 그네를 쳐다봤다. 오늘도 그네는 무사히 자기 자리를 지키고 있었다. 저녁에 봐서 그런지 오늘따라 빨간 그네가 작아 보였다.

우리 집 창문은 불이 켜져 있어 환했다. 나는 천천히 숨을 들이마셨다가 내쉬었다. 떨고 있는 모습을 엄마에게 드러내고 싶지 않았다. 경찰관 누나가 내 어깨를 부드럽게 잡았다.

"괜찮아. 어머니께 몇 가지만 여쭤볼 거야. 그리고 혹시 무슨 일이 생기면 바로 파출소로 달려오렴. 파출소는 24시간 열려 있어."

"파출소가 어디 있어요?"

"그것도 몰랐어? 저 골목 지나서 왼쪽으로 꺾으면 나오잖아. 집에서 가까우니까 당연히 아는 줄 알았는데."

경찰관 누나가 수상쩍은 눈빛으로 쳐다봐서 나는 일부러 시선을 피했다. 집을 나서면 파출소가 어디인지부터 알아 둬야겠다고 마음먹었다. 나는 두 손으로 차가워진 페트병을 들고서 빌라 안으로 걸어 들어갔다. 빌라로 들어서자 화가 난 집주인 아줌마의 목소리가 빌라 안을 쩌렁쩌렁하게 울렸다. 나는 경찰관 누나와 빌라 입구에서 그대로 멈췄다. 아줌마 앞에는 엄마가 두 손을 모으고 서 있었다. 팔짱 낀 아줌마가 소리쳤다.

"환장하겠네. 여기가 노숙자 쉼터인 줄 알아?"

"죄송합니다. 이번만 봐주세요. 다음 달에는 꼭……."

"벌써 네 달이야, 네 달! 그걸 내가 다 메꿨다고!"

아줌마가 철문을 걷어찼다. 엄마는 자기보다도 작은 아줌마에게 허리를 연신 숙였다. 누가 봐도 아줌마가 나빴는데 엄마는 자기가 죄송하다고 했다.

"내가 이 집에서 온갖 잡소리 다 들어도 집세 때문에 눈감아 줬는데 은혜를 이딴 식으로 갚아? 대체 뭐 하느라 돈을 안 내나 해서 내가 쭉 지켜봤어. 당신은 하루 종일 안 보이더라. 애새끼 친구들만 떼거지로 몰려와서 빌라에서 싸우고 난리 치고. 그거 모르지? 우리 빌라 세입자가 말해 줬어. 아주 어처구니가 없었다더라. 이번 주 안으로 집세 내든가 방 빼든가 해!"

아줌마는 철문을 한 번 더 걷어차고 계단 위로 씩씩거리며 올라갔다. 엄마가 천천히 고개를 들었다. 부스스한 머리에 엄마 얼굴이 가려졌다. 경찰관 누나는 나와 엄마를 번갈아 쳐다보다가 나를 데리고 엄마에게로 걸어갔다. 엄마가 머리카락을 귀 뒤로 넘기며 경찰관 누나를 쳐다봤다. 경찰관 누나가 엄마 앞에 서서 말했다.

"안녕하세요. 또 뵙네요. 아이가 밖에서 불량배에게 폭행을 당해서 데려다주려고 왔습니다. 집 안으로 들어가도 괜찮을까요?"

"여기서 말씀하시죠."

"이런 말씀드리긴 좀 그렇지만, 영유의 병원비가 터무니없이 높게 나왔어요. 병원에서 영유를 검색해 보니 의료보험이 적용되지 않는다고 뜨더군요."

"그건 또 무슨 말인가요?"

"아, 그게 주민등록이 말소되었기 때문에 의료보험이 해지된 거거든요. 그러니까 지금이라도 구청에 가셔서 주민등록을 새로 하시면 방법이 있을 거예요. 아마……."

엄마는 경찰서 누나의 질문에 대답하는 대신 나를 쳐다봤다. 엄마가 무슨 감정인지 느껴지지 않았다. 예전에는 나를 째려보거나 인상을 찌푸렸는데 이번엔 그렇지 않았다. 엄마가 나에게 말했다.

"안으로 들어가 있어."

엄마의 눈동자가 한없이 깊고 어두웠다. 엄마가 내가 와서 좋은 건지 싫은 건지 알 수 없었다. 나는 경찰관 누나에게 목 인사를 하고 안으로 들어갔다. 곧장 싱크대로 달려가 서랍을 열고 먹이통을 집어 들었다. 먹이통 뚜껑을 열어 페트병에 쏟아부었다. 스핀이 쉬지 않고 뻐끔거리면서 붉은색 먹이를 삼켰다.

테이프

엄마는 스위치가 꺼진 로봇 같았다. 경찰관 누나가 가고 나서도 한참을 서 있었다. 나는 싱크대 서랍장에 비스듬히 몸을 기댔다. 스핀은 먹이를 먹느라 정신이 없어 보였다. 내가 많이 주어서인지 페트병 물빛이 탁해졌다.

찬찬히 보니 하루 만에 집 안이 좀 달라져 있었다. 내가 내팽개치고 나갔던 스핀의 어항이 없어졌고, 냉장고와 싱크대 사이에 있던 미니 탁자도 사라졌다. 엄마가 깼던 접시와 몇 안 되는 그릇들, 숟가락과 포크도 없었다. 엄마가 분리수거장에서 들고 왔던 미니 냉장고도 사라졌다. 3년 전에 이 집으로 처음 이사 왔을 때의 모습과 비슷해졌다.

싱크대 안에는 하얗고 기다란 봉투와 종이들이 수북이

쌓여 있었다. 우리 집에 고지서가 이렇게 많이 왔나 싶어서 놀랐다. 나는 대충 눈으로 고지서를 훑어봤다. 싱크대 물기 때문에 잉크가 번져 있어서 무슨 내용이었는지 알기 어려웠다. 미납금이나 공과금 같은 어려운 단어들이 빨간 글씨로 되어 있어서 돋보였다.

해가 저물고 집 안도 복도처럼 어두워졌다. 배도 고프고, 불도 켜고 싶었다. 엄마는 아직도 서 있었다. 나는 이러다 엄마가 마네킹처럼 굳어 버리는 게 아닐까 싶어 엄마를 불렀다.

"엄마."

그러자 엄마가 큰 눈을 끔뻑이더니 손으로 얼굴을 쓸었다. 그렇게 자주 뱉던 한숨도 내쉬지 않았다. 엄마가 내 눈을 보지 않고 들릴 듯 말 듯한 목소리로 말했다.

"잠깐 나갔다 올게."

엄마는 문을 열고 그대로 나가 버렸다. 나는 어두운 집 안에 남겨졌다. 엄마가 발을 질질 끌고 복도를 걸어 빌라 밖으로 나가는 소리까지 다 들렸다. 나는 창문에 코끝을 붙이고 바깥을 쳐다봤다. 조금 뒤에 엄마가 홀연히 놀이터 너머로 사라지는 게 보였다. 휘청거리며 걷는 엄마 모습은 가느다란 그림자 같았다.

엄마가 시야에서 사라지니까 나도 얼음땡이 풀린 사람처럼 움직여도 될 것 같았다. 나는 불을 켜고 거실에 대자로 누웠다. 바닥이 차디찼지만 역시 집이 가장 편했다. 마음껏 볼을 바닥에 비비적거리고 옆으로 몸을 굴렸다. 냉장고 벽 끝에서부터 구르다 보니 방문에 다다랐다.

나는 일어나서 방 안으로 들어갔다. 들어가자마자 술 냄새가 진동했다. 전에 살던 집주인이 놓고 갔다던 텔레비전은 그대로 있었다. 텔레비전 맞은편 벽에 개다 만 이불과 빈 소주병 세 개가 뒤섞여 있었다. 나는 빈 병부터 주워 화장실로 가지고 갔다.

화장실만큼은 집에서 나오기 전과 같았다. 거의 다 써서 납작해진 치약과 칫솔이 그대로 놓여 있었다. 나는 분리수거 통으로 가서 소주병을 일렬로 세워 놓았다. 그런데 소주병 사이로 나무 막대기가 삐죽 나와 있었다. 나는 막대기를 집어 들었다. 형이 만들어 준 나무젓가락 새총이었다. 나는 새총을 옷으로 대충 닦아 주머니에 넣으며 화장실을 나왔다. 그리고 싱크대 위에 놓인 스핀에게 다가갔다.

"스핀, 뭔가 이상해."

스핀이 붉은 먹이들 사이로 유유히 꼬리 치다가 내 목

소리를 듣고 방향을 틀었다.

"엄마가 기분이 좋은지 나쁜지 모르겠어."

나는 경찰관 누나가 가자마자 엄마가 나를 죽도록 팰 줄 알았다. 내 멋대로 집을 나갔다 들어온 데다 집주인 아줌마에게 크게 혼났고, 경찰관 누나랑 얘기하면서도 계속 입술을 물어뜯었기 때문이다. 하지만 걱정과 달리 엄마는 때리지도, 심지어 혼내지도 않았다. 나는 정말 비장한 마음으로 들어왔는데 엄마는 나를 아무렇지도 않게 대했다. 엄마와 싸우는 날이라고 정해 놓고 잔뜩 힘을 주고 있었는데 맥이 빠졌다.

나는 도로 방으로 들어갔다. 퀴퀴한 이불을 개려다 텔레비전을 쳐다봤다. 오른쪽 아랫부분의 전원 버튼에 빨간불이 깜빡거렸다. 텔레비전 코드가 멀티탭에 끼워져 있었다.

"오!"

나는 방을 나가 싱크대 창문 너머를 슬쩍 봤다. 엄마는 올 낌새가 없었다. 나간 지 얼마 되지 않았으니까 집으로 오려면 시간이 더 걸릴 것이다. 나는 잽싸게 방으로 뛰어 들어가 텔레비전을 켜고, 텔레비전 아래에 있는 리모컨을 집어 들었다. 그런데 리모컨을 아무리 눌러도 채널이 바뀌지 않았다.

나는 리모컨을 내려놓고 텔레비전 코앞으로 가 채널 버튼을 눌렀다. 내가 좋아하는 만화영화가 나왔다. 초능력을 쓰는 주인공이 연기 속을 헤치며 출구를 찾아 나섰다. 나는 바닥에 누워 한쪽 다리를 다른 쪽 무릎에 올려놓고 텔레비전을 봤다. 병원을 나서기 전에 의사 선생님이 수액을 맞아서 괜찮아지겠지만 곧 다시 피곤해질 거라면서 쉬어야 한다고 말했다. 그래서 나는 최대한 누워 있기로 했다.

하지만 생각은 쉬지 못했다. 엄마도 나처럼 화가 나서 가출했을까 봐 걱정이 들었다. 엄마가 빨리 오길 기다리면서도, 막상 엄마랑 있으면 이렇게 편히 누워 있을 수 있을까 싶었다.

머릿속 엔진이 쉬지 않고 빙빙 돌아가던 중에 문 열리는 소리가 들렸다. 엄마가 신발을 질질 끌며 현관에 무언가를 쿵, 하고 내려놓았다. 나는 재빨리 일어나서 텔레비전을 끄고 거실로 나갔다.

"엄마!"

엄마는 커다란 검정 비닐봉지를 두 개나 들고 있었는데, 그중 하나를 내 앞으로 던졌다. 봉지 라면과 사이다,

소주가 튀어나왔다. 엄마는 현관 안으로 들어오다 말고 그 자리에 주저앉았다. 한 걸음 한 걸음 내딛는 게 나보다도 버거워 보였다. 엄마가 무릎에 이마를 댄 채 내게 손을 휘저었다.

"방에 가 있어."

나는 주춤거리다가 비닐봉지에 먹을거리들을 담았다. 그리고 엄마가 쥐고 있는 비닐봉지를 거실 안으로 옮기려고 엄마 쪽으로 손을 뻗었다. 그러자 엄마가 내 손을 탁 내리쳤다.

"건드리지 말고 가 있으라고."

나는 엄마가 친 손을 다른 손으로 매만졌다. 엄마는 가쁘게 숨을 몰아쉬었다. 응급실을 나올 때 봤던, 대기 의자에 앉아 있는 사람들처럼 힘이 하나도 없었다. 왠지 엄마 곁을 떠나면 안 될 것 같았다. 나는 엄마가 손을 뻗으면 닿지 않을 거리에 쭈그려 앉았다. 하루 만에 엄마가 엄청나게 늙어 버린 느낌이었다. 나는 스핀에게로 고개를 돌렸다. 스핀은 붉은 먹이가 둥둥 떠다니는 곳 안에서 눈을 퀭하게 뜬 채 아가미만 씰룩거렸다.

한참 있다가 엄마가 일어났다. 내게서 비닐봉지를 낚아채 싱크대로 갔다. 엄마는 가스 불을 켜고 냄비에 수돗

물을 받아 불 위에 냄비를 올려놓았다. 물이 끓는 데 엄청나게 오래 걸렸다. 불이 제대로 켜지지 않았는데 겨우 켜진 불도 아주 희미했다. 내가 후, 하고 불면 바로 꺼질 듯했다.

나는 엄마가 라면 끓이는 뒷모습을 텔레비전 보듯 구경했다. 그전엔 텔레비전을 보느라 엄마가 부엌에 있는 걸 보지 않았다. 엄마는 내게 윽박지르지도, 나를 때리지도 않고 라면만 끓였다. 왠지 먼 옛날로 돌아간 느낌이었다. 지금 이 순간만큼은 내가 초등학교에 다니던 날의 저녁과 다름없었다.

엄마는 라면을 바닥에 내려놓고 나무젓가락을 내게 주었다. 엄마와 나는 사이다를 마셨다. 엄마가 밥을 먹으면서 소주 말고 다른 음료수를 마시는 건 이사 온 뒤로 본 적이 없었다. 나는 엄마가 왜 그러는지 몰랐지만 술을 마시지 않아서 좋았다.

접시가 없어서 내가 한 젓가락 뜨고 나면 엄마가 젓가락을 건네받아 라면을 건져 먹었다. 엄마와 나는 돌아가면서 라면을 먹었는데 나중에 라면은 거의 다 내 차지였다. 엄마가 라면을 더 이상 먹지 않았기 때문이다. 나는 엄마가 왜 그러나 싶으면서도 배가 고파서 라면을 먹어

치웠다. 내가 젓가락을 내려놓자 엄마가 드디어 입을 열었다.

"배불러?"

"응."

"그럼 가서 텔레비전 실컷 봐."

엄마가 냄비를 들고 일어났다. 나는 내가 잘못 들은 줄 알았다. 더군다나 우리 집 설거지는 내 담당이었다. 그런데 엄마가 하니까 이상했다. 내가 또 엄마만 보고 있으니까 엄마는 나를 방으로 떠밀었다. 나는 방에 들어가서 텔레비전을 보고 다시 누웠다. 방 너머로 엄마가 물을 틀어 설거지하는 소리가 다 들렸다.

만화 주인공이 전쟁터에서 죽은 사람들을 땅에 묻고 어딘가로 떠나면서 만화영화가 끝났다. 나는 그때까지 엄마가 내 뒤에 앉아 있는지도 몰랐다. 엄마가 말을 걸 때까지 말이다.

"다 봤어?"

엄마 말에 나는 벌떡 일어나서 엄마 앞에 무릎 꿇고 앉았다.

"응, 엄마 온 줄 몰랐어."

나는 엄마가 왔는데 아는 척도 안 한다고 혼낼까 봐 고개를 수그렸다. 하지만 엄마는 이번에도 별다른 말을 하지 않았다.

"그럼 자자."

나는 텔레비전을 더 보고 싶었다. 엄마랑 함께 보면서 내가 비장하게 하고 싶었던 말을 하려고 했다. 직접 엄마를 보며 말할 용기까진 나지 않았다. 하지만 그 얘긴 내일로 미루기로 했다. 이번에 엄마 말은 왠지 들어야 할 것 같았다. 나는 평소처럼 방에다가 요를 깔았다. 그랬더니 엄마가 고개를 저었다.

"거실로 가지고 나가."

"왜?"

엄마는 대꾸 없이 요를 내게서 가져다가 거실로 끌고 갔다. 나는 방에 놓인 베개와 이불을 질질 끌고 거실로 나갔다. 요 위쪽에 베개 두 개를 놓고 이불을 올려놓자마자 화장실로 달려가서 오줌을 싸고 나왔다. 그러자 엄마가 또 물었다.

"화장실에서 볼일 다 봤어?"

"어? 응."

"그럼 자."

엄마는 싱크대 아래에 놓아두었던 비닐봉지에서 박스

테이프를 꺼냈다. 그러고는 아까 사 두었던 소주를 병째 들이켜더니 싱크대 창문의 가장자리를 따라 테이프를 붙였다.

"엄마 뭐 해?"

"자라고 했잖아."

"뭐 하는데?"

엄마가 날 째려보며 테이프를 쥔 손을 높이 쳐들었다. 나는 눈을 꼭 감았다. 내가 또 쓸데없는 질문을 해서 엄마가 테이프를 던지는 줄 알았다. 하지만 그런 일은 일어나지 않았다. 대신 엄마는 소주를 또 한 번 들이켜더니 테이프를 계속 창문 주변에 칭칭 감았다. 그러면서 다시 말했다.

"눈 감고 자."

나는 엄마에게 맞을까 봐 알겠다고 한 다음 싱크대에 있던 스핀을 내 옆으로 데리고 왔다. 페트병은 벽 끝에 세워 두고 나는 얌전히 이불 속에 몸을 파묻었다. 눈도 꼭 감았다. 그 뒤로도 테이프를 붙이는 소리는 계속 들렸다. 엄마는 테이프를 들고 방 근처와 현관문, 화장실 근처를 서성였다. 나는 엄마가 뭘 하는지 궁금했지만 꾹 참았다. 엄마는 다시 거실로 돌아와 봉지를 들추며 부스럭거리더니 가스 불을 또 켰다. 나는 엄마가 또 라면을 끓이는 줄 알고 일어나려고 했다. 그런데 엄마가 내 곁에 와서 누웠다.

"뭐 한 거야?"

"별거 아냐. 따뜻해지라고 켜 둔 거야."

"그럼 테이프 붙인 것도 따뜻해지라고 한 거야?"

"그래. 그러니까 얼른 자."

"엄마."

"왜."

"내일도 이렇게 살았으면 좋겠다."

나는 엄마랑 라면을 나눠 먹고 잠드는 조용한 저녁이 좋았다. 내일 저녁도, 그다음 날 저녁도 오늘 같으면 일주일쯤 밖에 나가지 않아도 상관없었다. 그 이상은 안 된다. 난 학교도 가고 싶고, 현재와도 놀아야 했다. 그래도 엄마가 있을 저녁 시간에는 나도 꼭 돌아오겠다고 속으로 다짐했다. 그런데 엄마는 알 수 없는 말을 했다.

"자. 내일은 없어."

나는 엄마가 한 말이 무슨 뜻인지 궁금했지만 눈이 감겼다. 오랜만에 소리 내어 인사했다.

"스핀, 잘 자. 엄마, 잘 자."

스핀

나는 옆에서 헤엄치는 스핀을 바라봤다. 스핀은 페트병 안을 핑핑 돌더니 몸을 수직으로 세웠다. 그러더니 꼬리를 파닥거리면서 좁은 구멍에서 튀어나왔다.

"스핀!"

나는 놀라서 스핀을 불렀다. 비좁은 페트병 구멍에서 나온 스핀은 몸집이 커져서 순식간에 페트병만 해졌다. 스핀은 허공을 어항처럼 빙빙 돌아다녔다. 새처럼 내 머리 위를 날아다니더니 거실 안을 맴돌았다. 스핀은 점점 커져서 나랑 크기가 비슷해졌다. 스핀의 몸은 은빛으로 반짝반짝 윤이 났다. 스핀은 내 앞에 다가와 멈추었다. 나는 스핀 지느러미를 만져 봤다. 우리 집 이불보다 부드러웠다. 나는 악수하듯 지느러미를 잡고 흔들었다.

"우아! 스핀, 너 커지니까 진짜 멋있어졌어!"

스핀이 내 주변을 돌면서 강아지처럼 내 옆구리에 머리를 들이밀었다. 나는 스핀의 부드러운 몸을 어루만져 주었다. 스핀도 좋아하는 눈치였다. 스핀은 집 안을 계속 빙빙 돌기만 하다가 현관문을 향해 날아갔다. 철문은 굳게 닫혀 있었다. 스핀은 철문에 계속해서 머리를 들이박았다. 나는 스핀에게 상처가 날까 봐 스핀 꼬리를 잡아당겼다.

"그러지 마. 네가 아프잖아."

내가 말려도 스핀은 아랑곳하지 않았다. 스핀의 몸에서 붉은 기가 돌았다. 스핀의 눈알 주변도 빨간색으로 변해 갔다. 그런데도 스핀은 자신의 몸을 철문에 부딪쳤다. 나중에 스핀은 싱크대까지 물러섰다가 철문을 향해 힘차게 날아들었다. 요란한 소리가 나면서 철문이 앞으로 넘어졌다. 스핀은 그대로 문을 열고 나갔다.

"스핀!"

나는 스핀을 쫓아 밖으로 나왔다. 어느새 스핀은 빨간 그네 주변을 돌아다니고 있었다. 모래에 몸을 파묻는가 하면 빨간 그네의 의자를 입으로 물기도 했다. 밖으로 나온 스핀은 한층 더 몸집이 커져서 돌고래 같았다.

스핀이 나를 보더니 지느러미를 움직이며 내게로 다가왔다. 스핀은 내 앞에서 몸을 낮추었다. 나는 스핀의 등에 올라탔다. 그러자 스핀이 빠르게 날아올랐다. 나는 스핀을 놓칠 새라 두 팔로 스핀을 꽉 잡았다.

스핀은 나를 태우고 몸을 수직으로 세워 하늘로 올라갔다. 빌라 건물들과 놀이터가 점점 작아졌다. 뜬금없지만 나는 왠지 이 말을 하고 싶었다.

"스핀, 우리가 해냈어!"

나와 스핀은 하늘 위를 신나게 날아다녔다. 흐릿한 구름 사이를 가르는데 구름에서 매캐한 냄새가 풍겨 왔다.

"스핀, 이제 그만 내려가자."

하지만 스핀은 나를 데리고 뿌연 안개 속으로 들어갔다. 점점 숨을 쉬기가 어려웠다. 나는 계속해서 스핀을 불렀다. 그런데 어느 순간 스핀이 보이지 않았다. 나 혼자 안개 속을 날고 있었다. 아무것도 잡히지 않아 너무나 무서웠다. 그때 멀리서 스핀이 나를 향해 날아왔다. 스핀은 피투성이가 된 몸으로 날아와 내 몸을 입으로 물고는 수직으로 떨어졌다.

"으아악!"

나는 소리를 크게 질렀다. 스핀은 나를 데리고 바닷속으로 떨어졌다. 스핀을 찾느라 흘렸던 눈물과 콧물이 바닷물에 섞여 들어갔다. 내 손에 스핀의 지느러미 감촉이 느껴졌다. 나는 스핀 지느러미를 꽉 잡았다.

다시 눈을 떴다. 나는 안개 속으로 되돌아와 있었다. 무거운 공기가 숨통을 꽉 조였다. 눈물과 콧물이 끊임없이 흐르고 입에서 침이 흘렀는데 닦을 힘이 없었다. 눈을 떴는데도 앞이 잘 보이지 않았다. 나는 손으로 눈을 계속 비볐지만 시야가 또렷해지지 않았다. 나는 페트병으로 손을 뻗었다. 그런데 바닥에서 흥건한 물이 느껴졌다.

피가 거꾸로 솟는 듯했다. 나는 엎드린 채로 주변을 더듬거리면서 페트병을 찾았다. 찰방거리는 물만 만져질 뿐이었다. 가슴이 터질 것 같았다. 여기저기 팔을 휘젓다가 플라스틱 페트병이 손끝에 닿았다. 나는 손을 쭉 뻗어 옆으로 누워 있는 페트병을 집어 들었다. 앞이 제대로 보이지 않아 페트병을 흔들어 봤다. 다행히 물이 조금 남아 있었다. 나는 스핀이 페트병 안에 들었는지 확인하려고 페트병을 눈앞으로 가져왔다. 페트병 가운데에 어떤 형체가 물속을 둥둥 떠다녔다.

정신이 번쩍 들었다. 이건 꿈이 아니었다.

옆에서 엄마가 계속 기침을 하고 있었다. 나는 페트병을 잡지 않은 다른 손으로 엄마 몸을 흔들었다. 일어나라고 말하고 싶었지만 말이 나오지 않았다. 나는 두 팔과 다리로 겨우 바닥을 기었다. 그 어느 때보다도 기운이 남아 있지 않았다. 보이지 않는 구름이 우리 집 안을 가득 메우고는 모든 기운을 빨아들이고 있었다.

손에 차가운 감촉이 느껴졌다. 나는 한 손으로 페트병을 쥐고, 다른 한 손으로 현관문 바닥까지 기어갔다. 페트병을 지지대 삼아 앞으로 조금씩 나아가 철문에 손을 뻗었다. 철문 맨 아래쪽은 테이프로 뒤덮여 있었다. 나는 손으로 문을 더듬거리며 우유 구멍을 찾았다. 우유 구멍을 들어 올리려고 했는데 열리지 않았다. 구멍도 온통 테이프로 막혀 있었다. 이미 눈물을 흘리고 있었지만 답답해서 울음을 또 터뜨리고 싶었다.

나는 벽 모서리에 머리를 대고 발끝에 힘을 주었다. 다리가 오징어처럼 흐물흐물했다. 나는 다시 발끝에 힘을 집중했다. 바닥에 이마를 대고 발에 힘을 주었다. 무릎을 가슴께로 하나씩 끌어 올렸다. 엄마의 기침 소리가 심상치 않았다. 어떻게든 일어나야 했다.

페트병을 놓고 두 손을 땅에 짚어 팔을 쫙 뻗었다. 마침내 무거운 머리가 위로 들렸다. 나는 철문을 천천히 잡으며 몸을 일으켰다. 문득 손에 문고리가 잡혔다. 나는 두 손으로 문고리를 잡고 아래로 내렸다. 그리고 앞으로 밀었다.

문이 아주 조금만 열렸다. 철문 끝에 붙은 테이프 때문이었다. 테이프 틈새로 맑은 공기가 들어왔다. 나는 어깨와 팔로 계속해서 문을 쳤다. 시계추처럼 몸을 한쪽으로 기울였다가 체중을 실어 문에 몸을 던졌다. 육중한 철문이 열리면서 몸이 앞으로 쓰러졌다. 나는 누운 자리에서 물을 토했다. 내 몸에 있는 모든 물이 바깥으로 쏟아지는 기분이었다. 눈도 아주 따가웠다.

어느 정도 진정되고 나서 바닥에 나뒹구는 페트병을 들고 복도를 걸어 나왔다. 바깥 공기를 들이마실수록 숨을 더 크게 쉴 수 있었다. 나는 놀이터가 있는 곳까지 걸어와 그네 앞에 주저앉았다. 손바닥을 펴고 페트병 안에 든 물을 쏟았다. 가장 아래 가라앉았던 스핀이 손바닥 위로 떨어졌다. 숨을 멈춘 스핀의 배는 깨끗하고 하얬다.

스핀은 자기가 갇힌 어항을 탈출했다. 내가 갇힌 어항도 대신 깼다.

기다란 가시가 심장을 깊숙이 찔렀다.

나는 손을 꼭 쥐었다. 두 손으로 작디작은 스핀을 감쌌다. 스핀을 쥔 손을 심장으로 가져갔다. 이대로 스핀이 내 구멍 난 심장 속으로 들어가길 바랐다. 나는 스핀을 쥔 손을 흔들었지만 스핀은 움직이지 않았다. 예쁘고 동그란 눈을 뜬 채 손 위에 누워 있었다.

나는 다른 손으로 그네 아래에 모래를 팠다. 모래를 파고 또 팠다. 모래를 걷어 내자 황토색 흙이 나왔고, 흙을 계속 파니 스핀처럼 축축한 검은 흙이 나왔다. 나는 울음을 참을 수 없었다. 자꾸 이상한 소리가 입 밖으로 새어 나왔다. 다시 한번 스핀을 쥔 손을 가슴께로 가져갔다.

"스핀, 잘 가."

가시가 지나간 자리에 커다란 구멍이 생겨 버렸다. 숨 쉴 때마다 구멍 사이로 바람이 숭숭 지나다녔다. 나는 더 말할 힘이 나지 않을 때까지 스핀을 불렀다. 내일은 없다는 엄마 말이 떠올랐다. 내일부터 나는 스핀이 없는 삶을 살아야 했다.

나는 내 눈에서 흐르는 눈물처럼 미안하다는 말과 고맙다는 말을 멈추지 않고 했다. 스핀을 쥔 주먹에서 쥐가 났다. 나는 손을 펴서 축축한 스핀을 땅바닥에 내려놓았다. 파헤쳤던 모래를 얼얼해진 두 손으로 다시 덮었다.

그네 아래 자리를 원래대로 되돌려 놓고 스핀을 묻은 자리 옆에 누웠다. 주머니에서 무언가 걸리적거렸다. 나는 새총을 주머니에서 빼 페트병 대신 손에 쥐었다.

날이 점점 밝아 오고 있었다. 하늘을 잔뜩 가렸던 구름도 서서히 물러났다. 나는 일어나서 빌라를 향해 걸어갔다. 그러다 발을 멈추었다. 두 번 다시 집에 돌아가고 싶지 않았다. 그건 스핀도 원하지 않을 것이라고 생각했다. 하지만 저 안에 엄마가 있었다. 어떻게든 엄마를 깨워야 했다.

나는 몸을 숙였다. 빌라 주변에는 돌멩이가 별로 없었다. 빌라에서 떨어져 나온 벽돌 조각들만이 굴러다녔다. 나는 벽돌 조각들을 주워 주머니에 넣었다. 우리 집 창문은 다른 집 창문이랑 똑같았다. 우리 집에서 어떤 일이 일어나는지 밖에서는 알 리 없었다. 나는 고무줄에 벽돌 조각을 넣고 당겼다. 새총을 잡은 손이 부들부들 떨렸다. 몇 번 더 시도했지만 벽돌 조각은 빗나갔다. 그럴수록 나는 스핀을 떠올렸다.

나는 마지막 남은 벽돌 조각을 고무줄 중간에 끼웠다. 주워 든 조각 중에 가장 컸다. 숨을 크게 들이쉬고 고무줄을 잡아당겼다. 뻥 뚫린 가슴속 구멍 사이로 스핀이 돌아다닌다고 상상했다. 잠시 호흡을 멈추었다. 연기를 막고 있는 창문을 응시했다. 속으로 셋을 셌다.

하나, 둘, 셋.

그리고 손을 놓았다.

날카로운 벽돌 조각이 창문을 깨고 들어갔다. 벽돌 조각이 엄마에게 떨어져 엄마를 깨우길 바랐다.

나는 새총을 쥐고 반대편으로 뛰었다. 파출소가 나올 때까지 멈추지 않고 달렸다.

바이킹

하얀 침대에서 눈을 떴다. 경찰관 누나가 서 있었다.

"괜찮아?"

"네."

"정말 다행이다. 어머니도 응급실로 오셨어. 아직 의식이 없지만 의사 선생님이 심각한 정도는 아니래. 현관문도 열린 데다 창문이 깨져서 공기가 통한 덕분인지 위험한 상황을 면했다더라."

경찰관 누나가 내 머리를 쓰다듬었다. 나는 엄마를 깨우기 위해 창문을 깬 거였지만, 어쨌거나 엄마에게 도움이 되었다니 다행이었다.

내가 파출소에 도착한 다음부터 경찰 아저씨들이 바삐 움직였다. 경찰관 누나가 나서 준 덕분이었다. 누나는 나를 보자마자 다른 경찰 아저씨들에게 “이 아이예요!”라고 말하면서 아저씨들에게 우리 집 주소를 알려 주었다. 아저씨들은 우리 집으로 가고, 경찰관 누나는 나를 차에 태워 병원으로 갔다. 어제 만난 의사 선생님은 깨끗한 침대에 나를 눕히고 나에게 산소마스크를 씌웠다. 그리고 침대에 베개를 두 개 얹어 내 다리를 위로 올렸다.

“좀 있다가 데리러 올게. 난 급히 파출소로 복귀해야 해서.”

누나가 나에게 손을 흔들고는 커튼을 열고 나갔다. 나는 누워서 하얀 천장을 다시 바라봤다. 어제까지만 해도 내 옆에는 스핀이 돌아다녔다. 지금은 없다. 하얀 천장이 와르르 무너져 내릴 것 같단 생각이 들었다.

그때 멀리서부터 저벅저벅하며 거친 발소리가 들려오더니 커튼이 걷혔다. 배달 형이 한쪽 팔에 헬멧을 끼고 들어왔다.

“좀 괜찮냐?”

“형!”

“무리하지 말고 누워 있어.”

“어떻게 왔어?”

“현재가 알려 줬지. 오늘 아침에 경찰이 네가 여기 있다고 알려 줬대. 나한테 전화해서 자기는 지금 수업 중이니까 당장은 못 간다고 나보고 빨리 가 보라고 하더라. 그러니까 내가…… 아니다. 살았으면 됐지. 일단은 눈 좀 붙여라."

나는 형 말에 눈을 감았다. 잠이 들진 않았지만 눈을 감으니 한결 편안했다. 이따금 요란한 소리가 들려오긴 했지만 옆에 형이 있어서 안심이 되었다.

어느새 간호사 누나가 와서 코에 달린 호스를 빼 주었다. 간호사 누나는 내게 몇 가지를 물어보고 나서 내일 또 병원에 들르라고 말했다. 나는 간호사 누나에게 인사한 다음 형이랑 함께 병원을 나섰다. 병원을 나와 왼편에 세워진 빨간 오토바이 앞에 설 때까지 형은 내 손을 꼭 잡아 주었다.

"형은 괜찮아? 어제 갑자기 경찰서 가서."

"잡혔는데 괜찮겠냐? 집에 다시 들어가라고 두 시간이나 잔소리 듣고, 아빠한테도 나 찾았다고 연락했다는데."

"그럼 아빠랑 다시 살아야 해?"

"그럴 리 있냐? 다른 데로 떠야지. 배달 일도 오늘까지만 한다고 사장님한테 말했어."

"떠날 거야?"

걷잡을 수 없는 슬픔이 밀려왔다. 배달 형도 떠나려고 했다. 내가 갑자기 눈물을 떨구니까 형이 내 어깨를 툭 쳤다.

"내가 세상 하직하냐? 숨어 있다가 적당히 자리 잡으면 알아서 보러 올 테니까 걱정 마. 일단 타기나 해."

"경찰관 누나가 나 데리러 온댔어."

"그놈의 파출소 앞으로 지겹게 들락거릴 텐데 좀 늦게 가도 돼."

나는 헬멧을 쓰고 형 허리를 잡았다. 형은 자기 점퍼를 벗어 나한테 입혀 주었다. 그런 다음 오토바이 시동을 켜고 병원 주차장에서 벗어났다. 나는 형을 붙잡고 눈을 감았다. 스핀을 붙잡고 날아다니고 있다고 상상했다. 이따금 자동차 매연 냄새가 나긴 했지만 상상만으로도 좋았다. 형 등은 꿈에서 느낀 스핀보다 더 따뜻했다.

형이 오토바이를 세워서 눈을 떴다. 내가 온 곳은 파출소가 아니었다. 현재가 다니는 중학교 앞이었다. 형이 나를 내려 주면서 말했다.

"여기서 기다리자. 좀 있으면 현재가 나올 거야."

"현재랑 같이 파출소 가?"

"얘가 자꾸 파출소 타령하네. 가기 전에 네 친구 얼굴이라도 보라고. 넌 파출소가 그렇게 좋냐? 거기 그렇게 편한 데 아니야. 거기 가면 경찰들이 너한테 쉴 틈도 안 주고 물어보고 또 물어볼걸."

"뭘?"

"네가 어떻게 살았는지 물어보겠지. 엄마가 언제부터 때렸냐, 학교는 언제부터 안 갔냐, 너는 얼마나 갇혀 살았냐, 밥은 제때 먹었냐 등등등. 아마 대답하는 데 못해도 2박 3일은 걸릴 거다."

배달 형의 핸드폰이 울렸다. 형은 전화를 받자마자 빨리 나오지 않으면 영유는 한동안 못 볼 줄 알라고 말한 뒤 끊어 버렸다. 형이 한 말은 사실이었다. 경찰관 누나는 병원으로 가면서 나에게 여러 가지를 말해 주었다. 특히 응급실에 도착할 때까지 절대 잠들면 안 된다며 자꾸 말을 시켰다.

가장 기억에 남는 건 아빠 소식이었다. 경찰관 누나가 들려준 내용이 복잡해서 무슨 말인지 다 이해는 못했는데, 아빠가 몇 개월만 있으면 교도소에서 나온다는 사실만은 머릿속에 박혔다. 또 한동안 내가 엄마랑 떨어져 보호소에서 지내게 될 거라고 말했다. 그 보호소는 여기서 차로 30~40분 정도 가면 나오는데 밥도 엄청 맛있고 선생님들도 나에게 아주 잘해 줄 거라고 했다.

얼마 안 지나 현재가 금방 학교 건물 밖으로 나왔다. 나와 형을 보더니 몸을 뒤뚱거리며 달려왔다. 현재는 오자마자 내 두 손을 붙잡았다.

"영유야! 다친 데는 없어? 깜짝 놀라서 수업 시간에 하나도 집중이 안 되는 거야. 점심시간 종 치자마자 나왔어. 난 진짜 네가 어떻게 되는 줄 알고……."

현재가 울먹거렸다. 나는 현재에게 괜찮다고 말했다. 현재가 내게 말했다.

"우리 약속했잖아. 나중에 큰 바이킹도 꼭 타러 가자고. 난 너랑 갈 놀이공원까지 다 정해 놓고, 너랑 맛있는 것도 먹으려고 용돈도 아껴 쓰고 있었는데……."

현재는 결국 눈물을 떨어뜨렸다. 현재를 보니 나도 속상했다. 하지만 눈물은 나오지 않았다. 새벽에 스핀을 묻으면서 눈물을 다 쏟아 버렸다. 나는 스핀을 타고 날아다녔던 하늘을 올려다봤다. 지금의 하늘은 구름도 없이 높고 맑았다. 저 하늘 속으로 뛰어들고 싶었다.

"있잖아. 바이킹 지금 타러 갈 수 있어?"

내 말에 현재가 눈물을 닦으면서 나를 쳐다봤다.

"응? 아, 지금은 점심시간이라 잠깐 시간이 난 거여

서…….”

오토바이에 기대고 있던 형이 일어나더니 내게 다가와 점퍼에서 지갑을 꺼냈다. 형이 지폐를 꺼내 세어 보더니 말했다.

“그래, 가자. 까짓것 돈은 이럴 때 쓰라고 버는 거지. 넌 급식 먹으러 가라. 영유는 나랑 바이킹 타러 가고.”

나는 현재에게 손을 내밀었다. 현재는 핸드폰을 쳐다보고 학교를 돌아봤다. 그러다 고개를 크게 끄덕이고는 내 손을 잡았다.

°。°°。○

나는 넋을 놓고 바이킹을 올려다봤다. 바이킹은 텔레비전에서 보던 것보다, 그리고 내가 상상하던 것보다 훨씬 컸다. 미니 바이킹은 양 끝에 오리 머리가 있었는데 진짜 바이킹은 끝에 용 머리가 달려 있었다. 등 뒤에서 배달 형이 현재에게 말했다.

“이거 진짜 탈 수 있겠냐? 은근 무섭다, 이거.”

“재밌기만 한데 무섭긴 뭐가 무서워요. 전 하나도 안 무섭던데요? 혹시 형, 이런 거 못 타요?”

“아니거든? 올라가서 내려 달라고 울지나 마라.”

놀이공원에 도착했을 때부터 둘이서 말로 옥신각신했다. 현재는 오토바이에 내리자마자 헬멧을 안 쓰고 오토바이를 몰면 위험하다고 투덜거렸고, 배달 형은 택시 타면 택시비가 얼만 줄 아느냐며 돈을 벌어야 현실을 깨달을 거라고 현재를 쏘아붙였다. 입장료를 낼 때도 형이 돈을 내자 현재가 자기도 돈이 있는데 왜 형이 사냐고 따졌다. 그러자 배달 형은 요즘 급식 먹는 애들은 개념이 없다고 받아쳤다. 바이킹까지 오는 내내 배달 형과 현재는 이런 식으로 말을 주고받았다. 나는 가만히 듣기만 했는데도 피식피식 웃음이 나왔다.

바이킹 타는 계단으로 현재와 나와 배달 형이 차례로 올라갔다. 모자 쓴 아저씨가 내 표에 구멍을 내더니 들여보내 주었다. 현재는 달려가서 가장 끝자리에 앉았다. 그러자 형이 손짓했다.

"너 미쳤냐? 영유 몸 상태도 안 좋은데 끝자리로 가면 어떡해. 중간으로 와야 안전하지."

"형, 그게 무슨 소리예요. 영유가 바이킹 얼마나 잘 타는데요. 영유랑 미니 바이킹 탔을 때도 끝에 앉았거든요? 무서우면 형만 가운데 타든가요."

"어휴, 저걸 그냥!"

형이 주먹을 꽉 쥐었다. 나는 어느 자리에 앉을까 고민하다가 끝자리와 가운데 자리 사이로 들어갔다. 형은 마지못해 내 옆으로 따라왔다. 현재도 자리에서 일어나 내 곁으로 왔다. 우리 뒤로 몇몇 사람이 들어와 자리를 채웠다. 나는 현재에게 물었다.

"원래 바이킹엔 사람이 없어?"

"여기 주말엔 꽉꽉 차. 근데 지금은 평일이고, 낮이라서 없는 거야. 교복 입은 사람도 나밖에 없잖아."

현재가 한숨을 쉬었다. 교실에 두고 온 가방이 뒤늦게 생각난 모양이었다. 현재는 이럴 줄 알았으면 가방이라도 들고 나올걸 그랬다고 여기까지 오면서 세 번은 투덜거렸다.

모자 쓴 직원이 쇠사슬을 걸어 출입구를 막았다. 현재가 발을 동동거렸다.

"어떡해, 이제 출발하려나 봐! 큰 바이킹 타는 건 오랜만이라서 완전 떨린다. 우리 바이킹 타고 핫도그 먹으러 가자! 나 주머니 뒤져 보니까 돈이 좀 있었어."

"타고 나면 속 울렁거릴 텐데 넌 먹을 게 넘어가냐? 요즘 애들 진짜 이해가 안 돼."

"형, 무서우면 솔직하게 얘기해요. 그리고 형 핫도그도 제가 사 줄게요.”

배달 형은 화를 내면서 하나도 무섭지 않다고 대꾸했다. 하지만 바이킹에 앉은 다음부터 배달 형은 계속 다리를 떨어 대고, 안전바를 두 손으로 꽉 쥐고 있었다. 오토바이를 잘 탄다고 바이킹도 잘 타는 건 아닌 모양이었다.

둔탁한 소리를 내며 바이킹이 천천히 앞으로 나갔다가 뒤로 물러갔다. 현재는 소리를 지르며 두 손을 번쩍 들었다. 배달 형은 말없이 아래만 쳐다봤다. 나는 현재와 배달 형 사이에 앉아 둘을 쳐다보는 게 재밌었다. 문득 스핀이 떠올랐다. 마음속 구멍으로 찬바람이 불고 가슴이 시려서 몸을 떨었다. 나는 배달 형처럼 안전바를 잡았다.

갈수록 바이킹이 속도를 냈다. 미니 바이킹이랑 진짜 바이킹은 비교도 되지 않았다. 바이킹이 올라갈 때는 몸이 붕 뜬 기분이 들었다. 내려갈 때는 몸이 아래로 훅 꺼졌다. 그게 무척 짜릿했다. 옆에서 현재가 신나게 소리를 질렀다. 배달 형도 소리를 지르긴 했는데 좋아서라기보단 괴로운 느낌이었다.

우리를 태운 바이킹이 곤두박질칠 기세로 땅으로 내려갔다가 금세 하늘로 우리를 데리고 올라갔다. 바이킹은 땅끝까지 떨어졌다가 하늘 위로 올라가기를 반복했다.

나는 안전바를 잡던 손을 놓고 그네에서 뛰어내릴 때처럼 양팔을 가로로 뻗었다. 그토록 잡고 싶었던 하늘이 코끝에 닿아 있었다. 나는 속으로 스핀에게 속삭였다.

'스핀, 이것 봐. 내가 또 날고 있어.'

바이킹이 가장 높이 올라왔다. 나는 구름을 잡을 기세로 손을 쥐었다 폈다. 얇은 천 같던 스핀 지느러미가 손아귀에서 빠져나갔다.

| 작가 메시지 |

쌀쌀한 어느 날, 세 살배기 여자아이가 엄마에게 맞아 갈비뼈가 부러진 채 죽었습니다. 또 다른 다섯 살 남자아이는 숨통이 끊어질 때까지 새아버지에게 맞았습니다. 모두 2019년 대한민국에서 일어난 일입니다. 고통은 연령별로 오지 않습니다.

어른은 세상의 어두운 면을 아이에게 숨기려고 합니다. 아이는 미성숙하니까, 보호받아야 하는 나이라서, 그런 거 볼 시간에 공부해야 한다고 아이의 눈과 귀를 가립니다. 그러는 동안 우리나라의 아동 학대 건수는 점점 늘어났습니다. 어떤 아이는 부당한 대우를 받아도 표현할 줄 모릅니다. 심지어 자신이 학대를 당하는지도 모르고 아픔을 삼킵니다. 사회의 외면 속에서 끔찍한 일을 겪는 아이들은 홀로 허우적대고 있습니다.

현실은 손바닥으로 가려지지 않습니다. 어둠에 가려진 일일수록 우리는 그것을 드러내고 마주해야 합니다. 우리 모두가 그런 용기를 가지면 좋겠습니다.

강리오